JN105562

改訂版

就活 転職の役に立つ

デジタル・IT業界がよくわかる本

志村一隆

はじめに

こんにちは！

ようこそ。

日本には、職業が3万種類あるといわれています。
農業や工場などで生産する人から、
みなさんが興味を持っているであろう企画職やデザイナーまで。
実にたくさんの職業で世の中は成立しています。
IT 業界だけでもたくさんありすぎて迷ってしまうでしょう。
名前を知っている企業だけで就職活動をするのも
心もとないかもしれません。
そこで、この本ではまず
身の回りのモノやニュースを取りあげながら、
そこに関わる会社や職業を解説します。
さらに実際の職種や、
どうやって仕事をするのか？　を説明します。
この本を読みながら「こんな職業があるんだ」という
気づきが生まれれば幸いです。
選択肢の広がりは、成功確率の向上につながります。

それではさっそく見ていきましょう。

CONTENTS

はじめに 003

第1章 グーグルとアップルの違いってなんだろう？ 009

1-1 爆発的に増えるスマートフォン 010
1-2 OSってなんだろう？ 012
1-3 検索ってなんで無料なんだろう？ 014
1-4 検索にどうして広告を出すんだろう？ 016
1-5 Android OSを無料で配るわけ 018
1-6 アップルの売上は69.2%が機器販売 020
1-7 機器販売後のビジネスモデル 022
1-8 広告を消してネットを見る 024
1-9 IT系広告会社の役割ってなんだろう？ 026
まとめ 028

第2章 働く前に知りたい！IT業界の方向性 029

2-1 ITってなんだろう？ 030
2-2 デジタルってなんだろう？ 032
2-3 インターネットってなんだろう？ 034
2-4 情報の流通革命① — デジタル化 036
2-5 情報の流通革命② — クラウド 038
2-6 サービス提供型ビジネスの成長 040
2-7 ITで変化するコンテンツビジネス 042
2-8 サブスクリプションとシェアリングエコノミー 044
2-9 ITは効率化のために使われる 046
まとめ 048

第3章 ITで変化したメディアについて知って就活に活かそう 049

3-1 メディアってなんだろう? 050
3-2 業界によって違うメディアの捉え方 052
3-3 IT化で読者の少ないメディアが成立 054
3-4 ポータルサイトとソーシャルメディア 056
3-5 メディアとプラットフォームの違い 058
まとめ 060

COLUMN
海外のイベントに行って最新のIT情報に触れよう 061
IT業界の最新情報はどこでチェックする? 062

第4章 ここまで進んでいるIT広告の最先端を理解しておこう 063

4-1 ITによるマーケティングの進化 064
4-2 ITによる効率的なメディア運営 066
4-3 リアルタイムに強いITメディア 068
4-4 ITで情報の組み合わせを変えられる 070
4-5 ユーザーの行動履歴を把握する 072
4-6 広告ビジネスの画期的な変化 074
4-7 リターゲティング広告 078
4-8 クリエイティブの自動化 080
4-9 アドエクスチェンジ 082
4-10 グーグルのアドテクノロジー 084
4-11 変化する広告ビジネス 086
4-12 アドテクノロジーの新たな動き 088
4-13 求められる、情報の共感型サービス 090
まとめ 092

第5章 文系の役割が増えている IT業界の仕事 093

5-1 ソーシャルメディアの発展 094
5-2 自社サイトをメディア化する広告主 096
5-3 メディアのビジネス的な役割 098
5-4 コンテンツマーケティングってなんだろう? 100
まとめ 102

第6章 知っておこう! 最先端のIT知識「モノのインターネット」 103

6-1 ソーシャルメディアの弱点とは? 104
6-2 IoTってなんだろう? 106
6-3 IoTで変わる日常生活 108
6-4 人工知能 110
6-5 フェイクニュース 112
6-6 5G 114
6-7 フィンテック 116
6-8 VR 118
6-9 CtoC 120
6-10 ブロックチェーン 122
まとめ 124

第7章 よく知ろう! IT業界の会社選び 125

7-1 IT業界をグループ分けしてみよう 126
7-2 たくさんチャンスのあるIT企業 128
7-3 企業のITビジネス進出 130
7-4 アマゾン 132
7-5 グーグル 134
7-6 アップル 136
7-7 ヤフー 138
7-8 サイバーエージェント 140
7-9 楽天 142
まとめ 144

第8章　たくさんあるIT業界の仕事を分類してみよう　145

8-1　インターネットのページもいろいろな仕事で成り立っている　146
8-2　IT業界の仕事には3つの種類がある　148
8-3　よく聞くカタカナ職種8つ　150
8-4　IT業界の職種:営業とコンサルタント　152
8-5　IT業界の職種:プランナーとアナリスト　154
8-6　IT業界の職種:制作と編集　156
8-7　IT業界の職種:エンジニア　158
8-8　チームを組んで仕事する　160
8-9　チームでする仕事の例:インターネット広告の仕事　162
8-10　チームでする仕事の例:データサイエンティストの仕事　164
まとめ　166

COLUMN
英語力は友達同士で磨こう　167
ベンチャー起業を考えながら働く　168

第9章　専門家の会社分析手法を盗もう　169

9-1　投資家情報を就職活動に利用しよう　170
9-2　決算説明会資料を活用しよう　172
9-3　会社の経営環境を知る　174
9-4　他社と比較してみる　176
9-5　志望する会社の未来を考える　178
9-6　上場していない会社の調べ方　180
9-7　ビジョンとミッション　182
まとめ　184

おわりに　186

第1章

グーグルとアップルの違いってなんだろう？

1-1 爆発的に増えるスマートフォン
1-2 OSってなんだろう？
1-3 検索ってなんで無料なんだろう？
1-4 検索にどうして広告を出すんだろう？
1-5 Android OSを無料で配るわけ
1-6 アップルの売上は73%が機器販売
1-7 機器販売後のビジネスモデル
1-8 広告を消してネットを見る
1-9 IT系広告会社の役割ってなんだろう？

爆発的に増える スマートフォン

みなさんの多くはもうスマートフォンを持っていると思います。最初に登場したスマートフォンは、アップルが2007年に発売したiPhoneですが、2013年以来、スマートフォンは全世界で毎年10億台以上売れています。

2019年度時点で日本のスマートフォン保有率は67.6%。LINEを使ったり、天気情報や乗り換え案内を見たり、音楽を聴いたり、一日中手元にあるスマートフォン。アップルや検索サービスのグーグルといった最新のテクノロジーを持つ企業が集積しているアメリカの西海岸シリコンバレーや世界中のベンチャー企業が次々に開発するアプリも、日本にいる自分のスマートフォンで手軽に利用できます。

考えてみれば、スゴイことですよね。

デジタル業界を理解するには、このスマートフォンから考えるのがなにより一番いい方法です。なぜなら、スマートフォンにはいろいろな機能がついているからです。その機能を提供しているのは誰なのか？　ゲームをしてすぐに結果が友達と共有されるのはなぜだろう？　そんなことを考えていると、意外に自分が興味を持つ仕事が見つかるでしょう。

世界でのスマートフォンの年間販売台数の推移

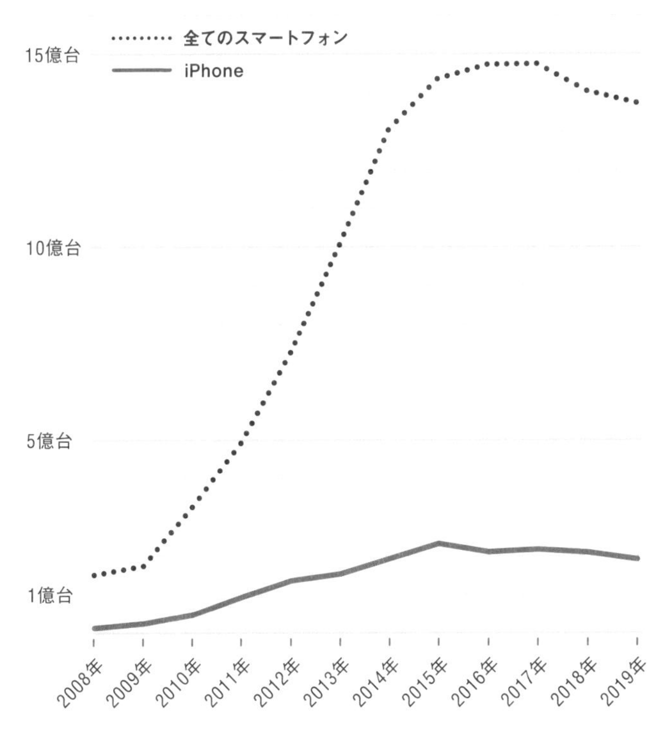

＊出典：IDC（各年にリリースされたものを集計）

OSってなんだろう？

みなさんはiPhoneを使っていますか？　それともAndroid派ですか？

iPhoneはアップル製。Androidフォンは富士通やパナソニック、それに韓国のサムスンといった家電メーカーが作っていますね。そして、そのAndroidフォンの全てにグーグルの**OS（Operating System）**が使われています。OSとは、スマートフォンのスイッチや通話、カメラといった機器にあらかじめ備わっている機能を動かしたり、LINEやゲームといったアプリを動かす役目を担っているプログラムです。

iPhoneでもAndroidフォンでも電話をしたり、カメラを使ったりできます。しかし、中身は違うプログラムでできているのです。どんな車にもハンドルやブレーキがあって誰でも問題なく運転できます。しかし、トヨタとホンダのエンジン構造は違うでしょう。それとちょっと似ています。

iPhoneはアップルが作ったiOSというOSで動きます。サムスンやパナソニックのスマートフォンはAndroidというグーグル製のOSで動いています。ですから、iPhoneとAndroidフォンではメールの書き方やアプリの表示方法が少し違います。iPhoneに慣れた人はAndroidフォンの操作方法に迷ったりすることがあります。ただ、同じAndroidフォン同士であれば、パナソニックでもサムスンでもその操作方法はあまり変わりません。テレビはメーカーごとにリモコンの形状が違っています。**スマートフォンではメーカーの違いというより、OSの違いが操作方法を決める**のです。

さて、みなさんはなぜ家電メーカーはアップルのiOSを使わないのか？　グーグルはデジタル業界なんだから、アップルにAndroidフォンを作ってもらわないの？という疑問を持ったことはありませんか？

この疑問の答えを探していくと、デジタル業界のことが少しずつ見えてきます。

OSの種類

機器 / 提供企業	パソコン 	スマートフォン 
グーグル 	Chrome OS	Android
ファーウェイ		HarmonyOS
アップル	MacOS	iOS

検索ってなんで無料なんだろう？

グーグルのビジネスはどのように成り立っているのかご存じですか？　考えてみれば、なんの疑問もなく検索をしたり、初めての場所に行くときにGoogleマップに案内してもらったりしています。

サービスは全て無料です。でもなぜ無料なんでしょうか？　広告がついてくるからですね。そのくらいはみなさんもわかっているかもしれません。でも、サービスを届けるために、いろいろな仕組みが必要ですね。グーグルは広告ビジネスで得られる収益を使って、なにを負担しているんでしょうか。

みなさんがスマートフォンでブラウザを立ち上げ、インターネットにアクセスして、なにか検索したとします。たとえば、「東京駅　和食」にでもしましょう。すると、検索結果が表示されますね。その情報はいったいどこにあるのでしょうか？　スマートフォンのなかにはありませんよね。**情報はグーグルのサーバ**にあります。そして、インターネットを通じてその情報はスマートフォンに表示されているのです。ちなみに、**ブラウザ（browser）**とは、インターネットの情報をスクリーンに映し出すツールのことです。ChromeやFirefoxといったブラウザをみなさんも使っていると思います。また、**サーバ（server）**とは、情報を格納しておく機械のことです。サーバとスマートフォンがつながって検索した情報が見られるのです。

このように、わたしたちが検索して情報を引き出すのはとても簡単ですが、その裏では機械を揃えたり、その機械を動かすためにエンジニアがプログラムを書いたり、いろいろ手間がかかっています。グーグルは、そのサーバを動かす電気代、置き場所の土地代、情報を探すプログラムを作るエンジニアの人件費などを支払わなければなりません。その費用を広告ビジネスで賄っているのです。

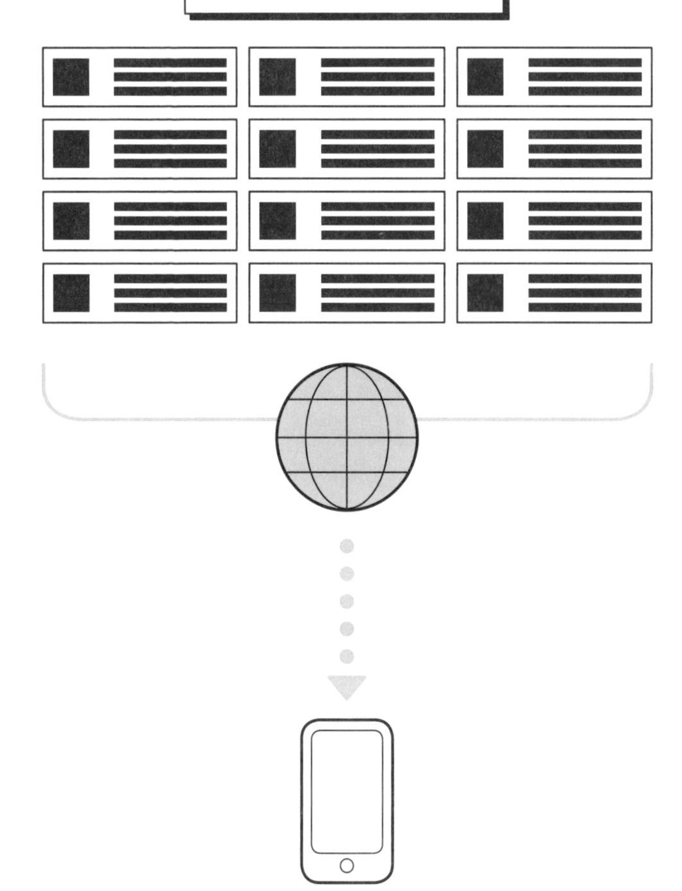

・情報はグーグルのサーバに格納されている。

検索にどうして広告を出すんだろう？

みなさんがグーグルで言葉を検索すると、結果画面に「広告」という表示のついている箇所を見つけることができるでしょう。仮に、「東京駅　和食」と検索して、「東京和食や本舗」というお店の広告が出たとします。広告ビジネスを理解するために、ここではこのお店とグーグルのつながりはどうなっているのか？を考えてみましょう。

「東京駅　和食」と検索される回数を、仮に1カ月に100万回だとします。その言葉を検索した人は、和食を食べたい人と考えていいですよね。つまり、東京和食や本舗にとって新たなお客さんになりそうな人たちです。であれば、検索結果の画面に広告を出す意味がありそうです。さらに、1カ月に100万回も表示されるのですから、その1%の人が来店すれば1万人も新規のお客さんが増えるのです。発行部数が約100万部の月刊誌と同じくらいの広告効果が得られるかもしれません。

そこで、東京和食や本舗のようなお店に、**「東京駅　和食」と検索されたページの広告を表示する権利**を買ってもらったらどうでしょうか？　東京和食や本舗はグーグルにお金を払い、グーグルはそのお金で、さまざまなコストや新しいビジネスをするときの費用に使えるのです。お店とグーグルの間で利害が一致し、取引が成立しそうです。東京和食や本舗は、「東京駅　和食」と検索されるたびに対価をグーグルに支払う契約を結びます。

では、この広告ビジネスをもっと成長させるために、どんな方法があるでしょうか？　検索される回数を増やすには、検索する機器、つまりスマートフォンをもっと人々の手に広めればいいですよね。それには、スマートフォンを低コストでいろいろなメーカーに作ってもらえばいい。だから、グーグルはAndroid OSを開発しメーカーに使ってもらっているのです。

次に、グーグルとメーカーの関係を説明しましょう。

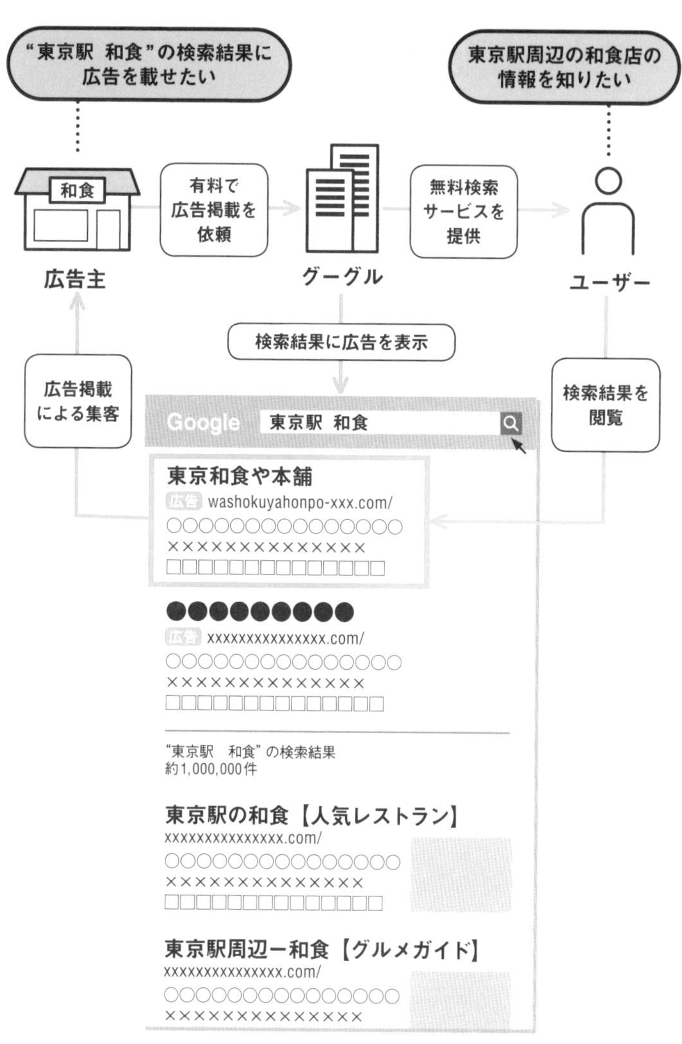

・広告主は自分の広告を表示させるための検索ワードを選び、グーグルに料金を支払う。

AndroidOSを無料で配るわけ

グーグルの広告ビジネスは、みなさんが検索する機会が増えるほど、その売上も増えていく仕組みです。5年くらい前までは、家や会社のパソコンで「東京駅　和食」と検索して、お店の地図を印刷して持って行きました。ところが、今はスマートフォンの地図アプリで検索できます。つまり、**スマートフォンの普及はグーグルにとって大きなビジネスチャンス**となったのです。

グーグルはスマートフォンを動かすOSを開発する会社（これがAndroidでした）を買収しました。そのOSを無償で家電メーカーに提供し、低価格のスマートフォンを作ってもらいます。低コストで新製品を発売できる家電メーカーと、スマートフォンを普及させたいグーグルの利害が一致したわけです。

グーグルの戦略はまんまと当たり、世界中のメーカーがAndroidフォンを作ったおかげで、今では世界中のスマートフォンのうち80%以上がAndroidフォンです。日本ではソフトバンクなどの通信キャリアが通信料とセットで高額なiPhoneの代金を分割で支払う仕組みが普及しています。そのため、iPhoneを使う人が多いですね。ところが、このような仕組みを提供している通信キャリアがいないアジアやアフリカの国々などでは、格安なAndroidフォンのシェアが圧倒的に大きいのです。数年前までは街角でなにかを検索する人は誰もいませんでした。それが、スマートフォンが普及し、グーグルのビジネスチャンスがたくさん生まれたのです。

いっぽうiPhoneを作っているアップルはそんなグーグルの戦略をどう思っているのでしょうか？

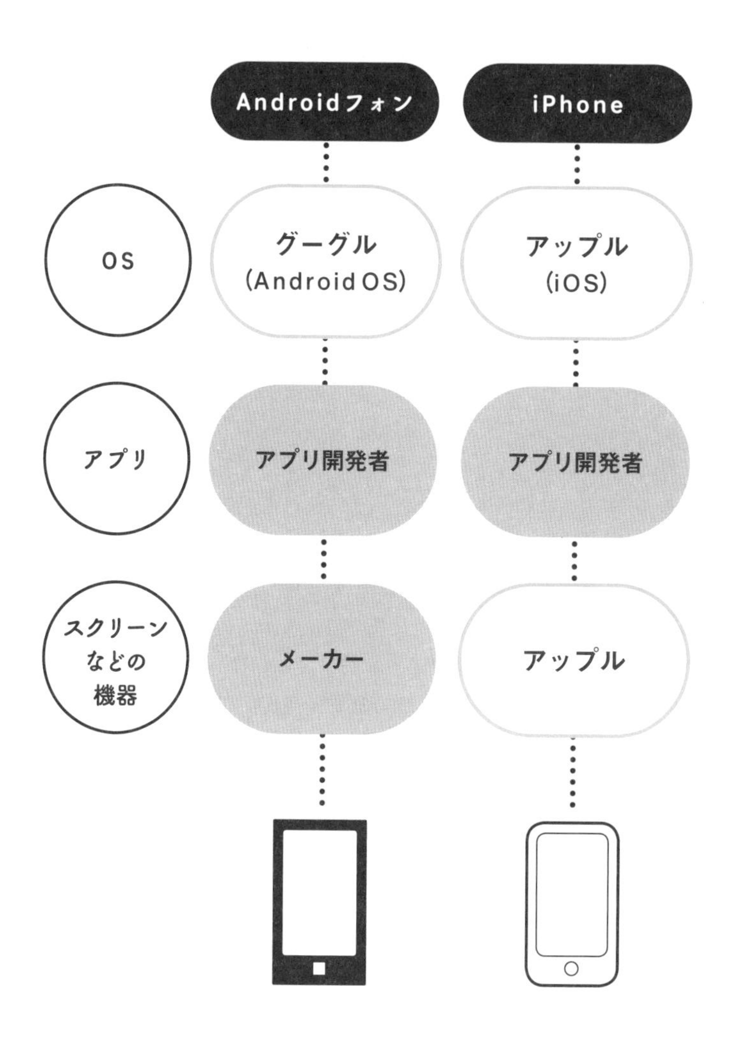

・iPhoneはアップルが全てを提供する。
・Android フォンは、グーグル提供のOSを使ってメーカーが製造・販売する。

アップルの売上は69.2%が機器販売

アップル製品といえば、iPhone以外にMacと呼ばれるパソコンやApple Watchなどがあります。また、音楽が好きな人はiTunesやApple Musicといったサービスに馴染みがあるかもしれません。ほかにも、アプリをダウンロードするときに使うApp Storeもあります。

こうした製品やサービスに共通することはなんでしょうか？　それは全て有料ということです。iTunesで音楽をダウンロードしたり、ゲームを買ったり、アップルを利用するにはお金を支払わなければなりません。

この**お金を払うか払わないか？　という点が、グーグルとアップルの違いの一番大きな点**です。グーグルはなんでも無料にしました。そして、検索や地図、それに天気情報など多くの人が毎日使うようなサービスの提供に特化しています。人々の最大公約数のニーズを提供しているといえます。

いっぽう、アップルはどうでしょうか。アップルのiPhoneはちょっとしたぜいたく品です。iPhoneの新しいモデルが発表されてすぐ購入して持ち歩いていると、「それ新しいヤツ？」と声をかけられることも多いでしょう。iPhoneを持つことでちょっとした優越感やデジタルに詳しいといったメッセージを周りの人に与えることができます。

またiTunesでダウンロードできる音楽や映画は、レコード会社や映画スタジオの公式版です。音質も画質もよく、心地よく楽しめます。グーグルのYouTubeでも同じ音楽が聴けます。しかし、それよりも少しだけ上質なコンテンツを有料で提供しているのがアップルなのです。

アップルの売上の約69.2%は、機器販売で成り立っています。つまり、アップルはパナソニックやシャープのような家電メーカーと同じビジネスをデジタル分野で行っている会社です。「なぁんだ。メーカーなのか。それじゃ、自分の志望と違うな」と思う人もいるでしょう。そんな人は次の節を読んでみてください。

アップル ビジネスカテゴリ別売上
（2019年10月～2020年9月）

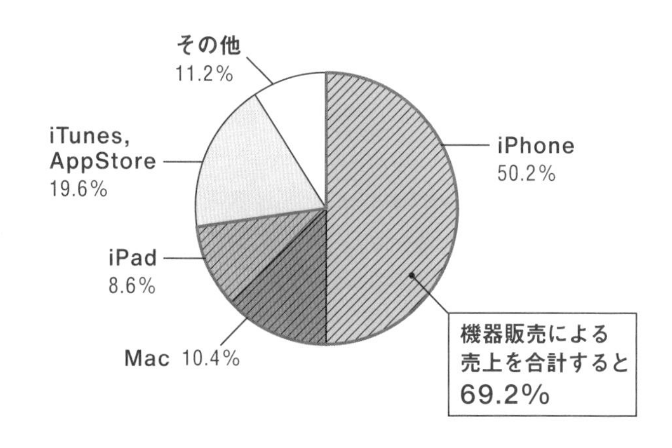

エリア別の純売上高
（2020年）

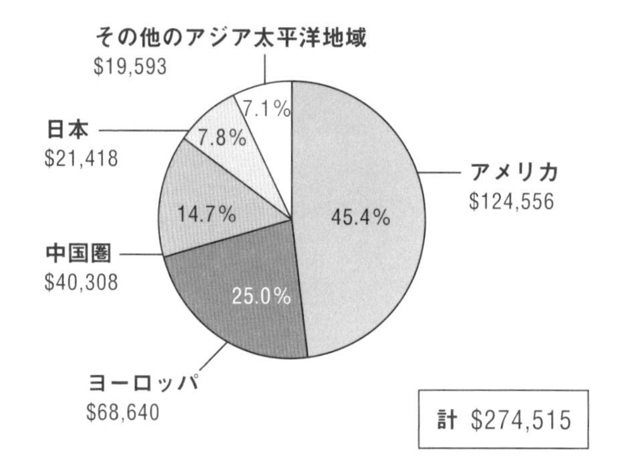

機器販売後のビジネスモデル

テレビを作っているソニーやパナソニックは、テレビ番組を制作し放送するテレビ局や視聴者からお金をもらっているでしょうか？　もらっていませんね。ところが、iPhoneなどに入っているコンテンツ配信サービスのiTunesで400円の映画を見るために消費者がアップルにお金を払うと、その30%がアップルに入る仕組みになっています。

これを**レベニューシェア**と呼びます。レベニュー（Revenue＝売上）とシェア（Share＝分ける）をつなげた言葉で、売上を分けるという意味です。レベニューシェアは通常のビジネスの取引となにが違うのでしょうか？

雑貨屋さんがボールペンをメーカーから仕入れるとします。そのとき、当然雑貨屋さんは代金をメーカーに払いますね。そのボールペンが売れるかどうかわからないけれど、モノを仕入れるにはお金が必要、それが普通のビジネス感覚です。

雑貨屋さんがレベニューシェアの仕組みを取り入れた場合、雑貨屋さんは仕入れの時点ではメーカーにお金を支払いません。ボールペンが売れたら、その売上から仕入れ代金分をメーカーにシェアするのです。つまり、雑貨屋さんはリスクがありません。とても雑貨屋さんに有利な条件ですね。

メーカーがその雑貨屋さんにボールペンを卸すのはどういった場合でしょうか。一つは雑貨屋さんに置くと必ず売れる場合です。たとえば、雑貨屋さんが街にその一軒しかなかったらどうでしょう。お客さんがボールペンを買いたいと思えばそのお店に行くしかありません。メーカーもその街でボールペンを売るには、そのお店と付き合うしかないのです。アップルのiTunesはそのインターネット版です。

レベニューシェアの仕組みのように、アップルと家電メーカーの違いは、**アップルが機器を販売したあともお金を稼ぐ手段**を持っている点です。それがiTunesであり、Apple Musicであり、App Storeなのです。

家電メーカー

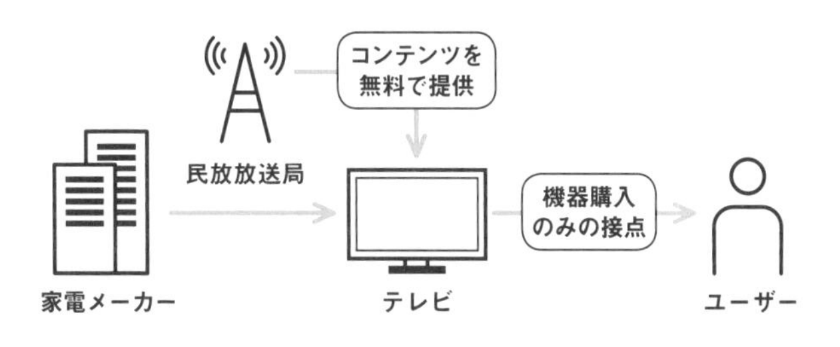

アップル

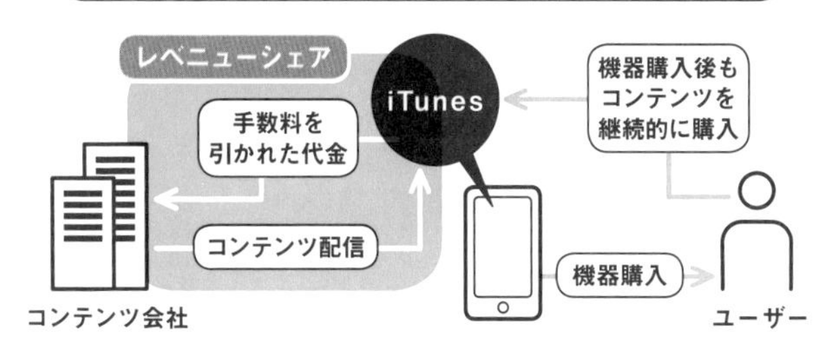

雑貨店

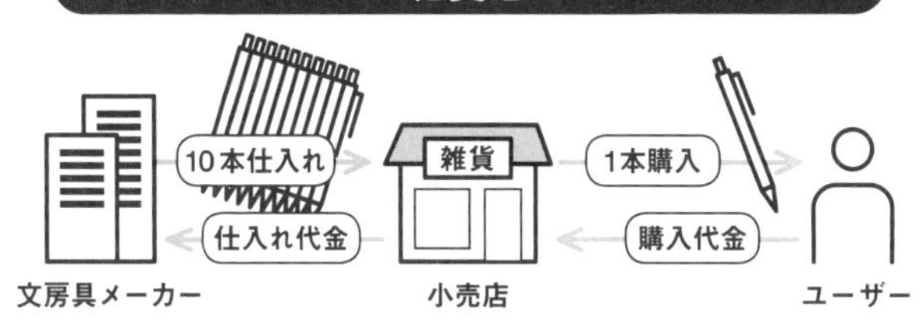

- アップルは機器メーカーでもあるが、iTunesを提供することで、ユーザーからの継続的な収益が見込まれる。
- レベニューシェアは売れたら支払うシステムなので、小売店にとって有利な仕組みである。

広告を消してネットを見る

先日、アップルがiPhoneやMacでインターネットサイトを見るときに、広告表示を消せる機能を提供するというニュースがあがりました。

みなさんは、iPhone上でインターネットにアクセスするときにブラウザを使っていますよね。iPhoneには青い磁石のマークのSafariというブラウザがついてきます。また、グーグルも赤や黄色の入ったマークのChromeというブラウザを作っています。

インターネットはほとんどが無料の世界です。無料でいろいろな情報が得られます。そしてそのほとんどのコストは広告で賄われています。

ところが、アップルはその広告を消せるサービスを提供するというのです。ここまで読んでこられた方はもうお気づきだと思います。アップルのビジネスは製品やサービスを有料で提供するという考え方です。広告がつく代わりに情報が無料になるというグーグルの考え方とは違います。iPhoneで、Safariを使って検索したときに広告が出てきたりしますよね。そして、その広告収入は、グーグルやウェブのメディアの売上になります。アップルにはなんのメリットもありません。むしろ、無関係な広告表示がiPhoneユーザーに不快感を与えるかもしれないと思っているかもしれません。

こうした背景がわかっていると、アップルが広告を消せる手段を提供するというニュースを聞いたときも、「あぁ、あり得るね」と理解できます。それとともに、**自分が志望する会社がどんな方向に進むのか**ある程度予想がつきます。会社に入ってから、「なんか話が違うな」ということも少なくなります。

アップルとグーグルのビジネスモデルの違い

アップル

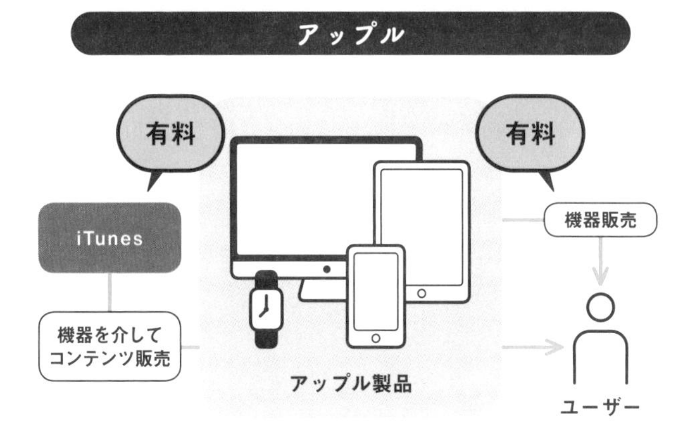

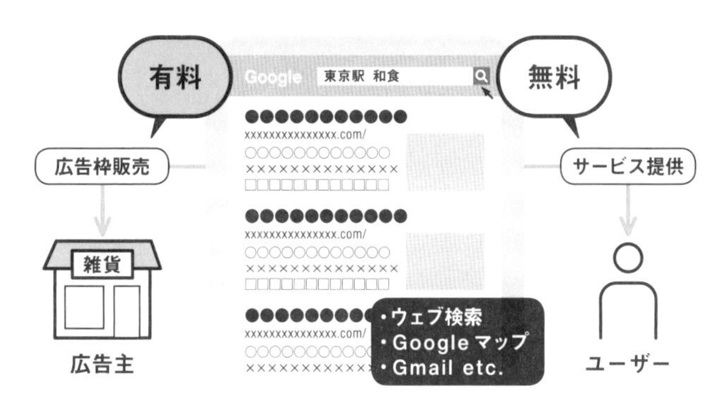

・アップル製品は全て有料であるが、グーグルの提供するサービスは無料で利用できる。グーグルの収入は、広告主が払う広告料である。

IT系広告会社の役割ってなんだろう？

さて、広告はとても不思議な存在です。情報は無料のまま、でも広告は表示してほしくない、というのがユーザーの正直な気持ちでしょう。とくに、学生の間は、モノを売る立場になったことがあまりないでしょうから、広告ビジネスについて知る機会もないでしょう。

会社に入り、モノやサービスを生み出し、販売しなければならない立場になると、**どうやって自社製品を消費者に知らせ、販売するのか？ということが極めて大事**だとわかります。仕事とはそのことを日々考えながらアイデアを実行することともいえます。そんな日々が始まると、広告＝消費者とのコミュニケーションの重要性に気づくでしょう。

たとえば、ウェブページや動画共有サービスに表示される広告。広告会社は、その場所に情報を流す権利を売っています。そして、その販売は主に営業が行っています。営業は顧客を訪問し商品を販売、売上結果で評価されます。運や不運もあるでしょうが、それを含めて数字で評価される透明性のある職種です。

また、営業は顧客の要望を会社内の人たちに伝えるという重要な側面もあります。広告を販売するだけで広告会社の仕事は終わりません。広告の制作を会社から依頼される場合があります。どんな広告を作るのか？　そうした要望を会社内のプロデューサーやディレクターに伝え、モノ作りの起点になる任務も負っています。

ここまでiPhoneとAndroidの違いといったスマートフォンの話から、職種の話までをしてきました。次からはそもそもデジタルとはなにか？といった話をしてみましょう。また、今まで話した職種の話や、会社の分析などを掘り下げていきたいと思います。

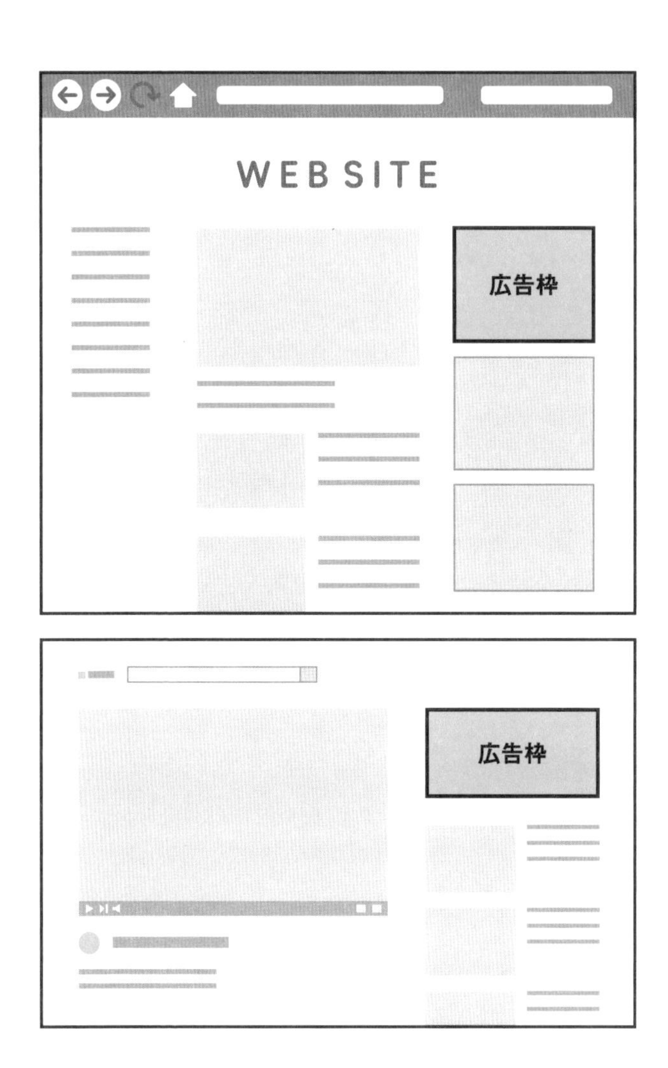

・広告会社は、ウェブページや動画共有サービスの広告枠を売り、売上をあげている。

1. 世界的に見ると、iPhoneよりAndroidフォンのほうが売れている。

2. グーグルは広告ビジネス、アップルはiPhoneやiPadといったデジタル機器のメーカーである。

3. 消費者がグーグルの検索を無料で利用できるのは、企業が広告費を支払うことで、サービスを支える費用を賄っているためである。

4. インターネット上の多くの情報は、こうした広告の仕組みのおかげで、無料で提供されている。

第2章

働く前に知りたい！IT業界の方向性

2-1 ITってなんだろう？
2-2 デジタルってなんだろう？
2-3 インターネットってなんだろう？
2-4 情報の流通革命① — デジタル化
2-5 情報の流通革命② — クラウド
2-6 サービス提供型ビジネスの成長
2-7 ITで変化するコンテンツビジネス
2-8 サブスクリプションとシェアリングエコノミー
2-9 ITは効率化のために使われる

ITってなんだろう？

よく本や雑誌で見かけるデジタルやインターネットという言葉。なんだかわかったようでわかっていないことも多いですね。デジタル広告とインターネット広告ってなにが違う？　ITってどんな意味なんだろう？　ITが略称だということを知らない人もいるのではないでしょうか。そこでITやデジタル、インターネットってそもそもなんなの？　というところを話してみましょう。

ITは、Information Technology（情報技術）の略称です。つまり、IT産業は、情報技術産業という意味ですね。では、情報とはなにを指すのでしょうか？　この場合、機密情報など一般的に使われる、いわゆる「情報」だけでなく、映画や音楽などのコンテンツや会社の売上などの数字、それに個人のプライベートの行動なども情報に含みます。

IT産業はそうした情報を加工したり作ったりしてビジネスに活かしています。IT関連の企業といえば、IBMや富士通、日立といったソフトウェアやパソコンを作っている企業を思い浮かべるかもしれません。こうした企業には理系の知識を必要とするエンジニアやプログラマの仕事しかないと思っている人も多いのではないでしょうか。

しかし、インターネットのメディアや広告宣伝に携わるビジネス、それにスマートフォンのアプリを制作するビジネスなどもIT産業です。つまり、広告のデザイン、製品の企画、営業といった**文系の人材もIT業界には大いに必要**とされています。

実際、世の中の動きや顧客の動向を追って新しいビジネスを作るうえで文系も理系も関係ありません。ですから安心してください。**文系の人もIT業界で活躍する余地はたくさんあります。**

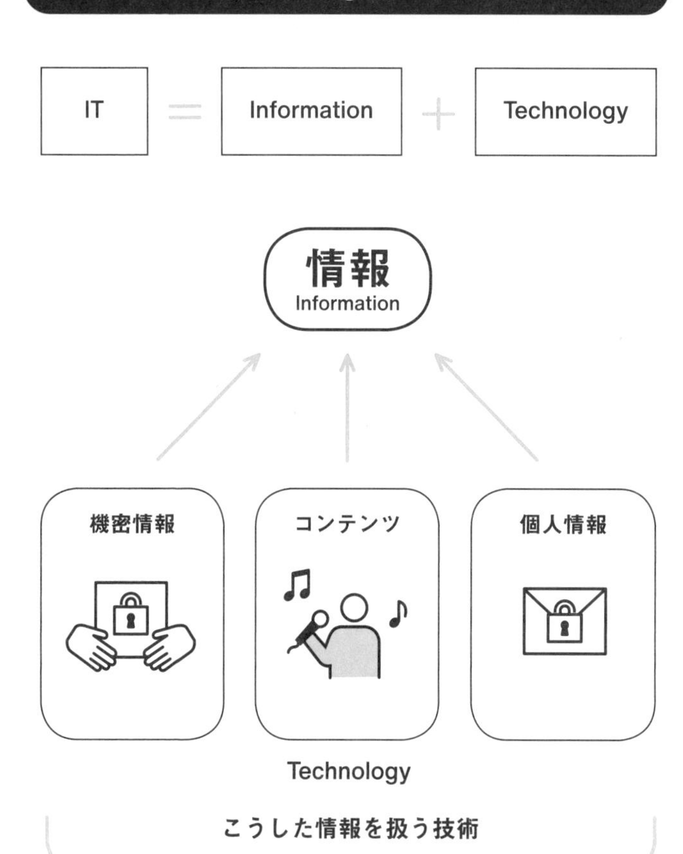
ITとは
IT
=
Information
+
Technology
情報
Information
機密情報
コンテンツ
個人情報
Technology
こうした情報を扱う技術
=
IT

デジタルってなんだろう？

デジタルビジネスやデジタルメディアなど、よく使われるデジタルという単語はどんな意味なのでしょうか？

デジタルはラテン語で「指」を意味する‘digitus’が語源です。数を数えるときに指を使うため、英語にはデジット（10の位、100の位といった桁）という派生語もあります。「デジタル」という言葉が最初に使われたのは20世紀初頭にコンピュータの概念を表すためであるとされています。

デジタルの対になる言葉は、アナログですね。アナログはギリシャ語で「比率」とか「割合」を意味する言葉が語源です。類似や類推するという意味の‘analogy’という派生語もあります。

デジタルとアナログの違いはよく時計で説明されます。時計盤の針の位置で時間を類推させるアナログ時計に対し、デジタルの時計は数字をそのまま表示させます。アナログ時計の時間表示は一番上の数字が12で右回りに1・2・3と続き、短針と長針で時間と分を示しているという共通認識の上に成り立っています。もし、数字の配列を知らない人が見ると今何時なのかわかりません。それに対し、デジタル時計は数字を表示するので、誰が見ても間違いはないですよね。

ともあれ**デジタルやアナログは、こうした情報の表示や保存、そして再生する方式**を意味しています。デジタルでは情報を数字のように細かく明確に記録し、保存します。その細かくした情報をまた元通り再現できます。デジタル方式で保存した音楽は、スマートフォンでもパソコンでも再生できます。音楽などの情報をデジタル方式で保存するととても便利なのです。そして、この本で見るように、この便利さはビジネスにいろいろな変化をもたらしています。

IT（Information Technology）

時代	インターネット登場以前		インターネット登場以降
記録方式	アナログ	デジタル	
記録媒体 文字	紙	電子書籍	
記録媒体 音楽	レコード	CD	ファイル
記録媒体 映像	VHSテープ	DVD	ファイル

・デジタル技術で情報の記録媒体は小さくなり持ち運びに便利になった。

インターネットってなんだろう？

このデジタル方式のデータの保存方法をもっと便利にしたのが、インターネットです。デジタル化された情報はインターネットを通じていろいろなところに送ることができます。情報をデジタル方式で記録すると、その情報を運んだり、再生したりすることがアナログ方式よりも容易になります。CDやMDもデジタル方式の記録媒体です。しかし、CDをそのままインターネットで送ったりはできませんね。ただCDに記録されている音楽は、インターネットで送ることができます。

デジタル広告とインターネット広告も厳密には違うものを指していそうです。代表的なデジタル広告は、たとえばビルに設置されている大きなデジタルサイネージ（動画なども流せる大きな広告看板）でしょう。紙のポスターの代わりにデジタルスクリーンを使い、画像や動画を映しています。しかし、インターネットにつながっているわけではないので、動画などを更新するには、手動で行わなければなりません。ところが、もし、デジタルサイネージがインターネットにつながっていれば、どこかのオフィスから集中管理ができます。つまり、まず広告がデジタル化され、その後インターネットが出現し、広告メディアがネットワーク化されている、と理解すればいいでしょう。

まとめます。ITはInformation Technology、情報技術の略。その情報の記録方式の一つがデジタル。そして、**デジタル化された情報をつないでいるのがインターネットです。**

紙のポスター

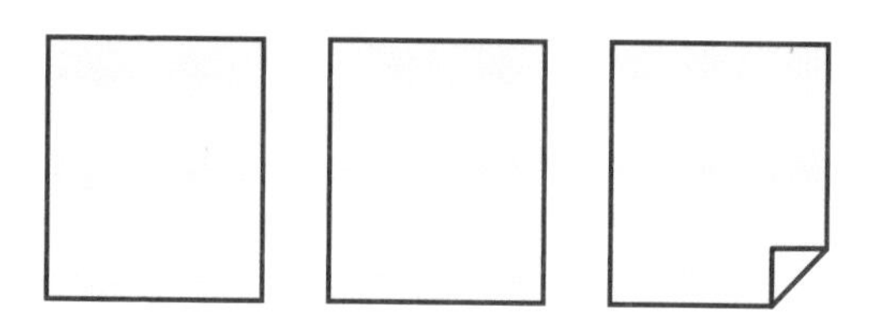

デジタルサイネージ（ネットワーク未接続）

インターネット（ネットワーク接続）

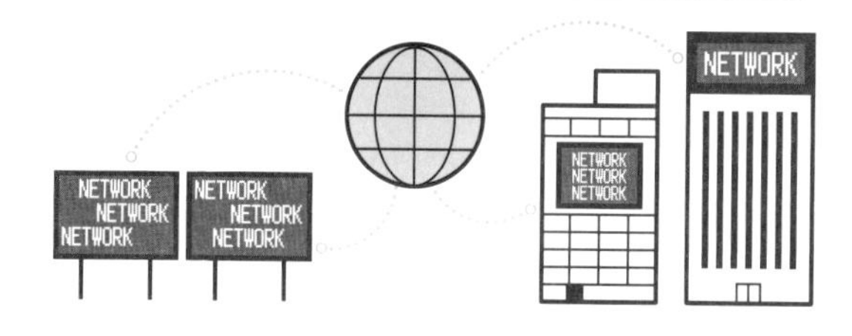

・インターネットに接続されていないデジタルサイネージは、広告内容を１台ずつ手動で切り替える必要がある。しかしインターネット広告は全ての内容を一度に切り替えることが可能である。

情報の流通革命❶
デジタル化

ここまで見てきたようにIT産業では、デジタルとインターネットという言葉がキーワードでした。では、情報がデジタルで記録されるとどんなメリットがあるのでしょうか？　改めて考えてみましょう。

たとえば、レコードプレイヤーにテレビはついていませんでしたし、当然ながら紙の雑誌で映画を見ることは不可能でした。それが、それぞれのコンテンツがデジタル化された結果、スマートフォンで小説も映画も見ることができるようになりましたよね。また、パソコンでテレビを見ることもできます。

情報がデジタル化された結果、あらゆる情報が一つの機器で楽しめるようになりました。わたしたちは、コンテンツごとに専用端末のテレビ、ラジオ、CD・DVDプレイヤーを買う必要はありません。つまり、今までのアナログ機器はデジタル機器にどんどん変わっていくのです。

この情報のデジタル化は大きなビジネスチャンスをもたらします。スマートフォンやタブレットなどのデジタル機器は、今までのテレビなどの市場を奪い成長していくでしょう。それ以外にもコンテンツをデジタル化する技術、それを元通りに再現する技術やデジタル化された情報がインターネットで送られている途中で盗まれないセキュリティ技術なども発達します。また、デジタルでコンテンツを作る技術も発達しそうです。映画や音楽制作は、大規模なスタジオや高価なカメラ、それにカメラマンやミュージシャンといった大勢のプロフェッショナルな人たちを必要としていました。そうした制作機器がデジタル化されると同じ機械でいろいろな作業ができるので、**制作コストが安くなりますね。**すでに、iPhoneでニュースの撮影をするテレビ局もあります。このように情報がデジタル化されたことで、コンテンツを持ち運びできるという情報の流通革命の第一段階がいろいろな分野で起こったのです。

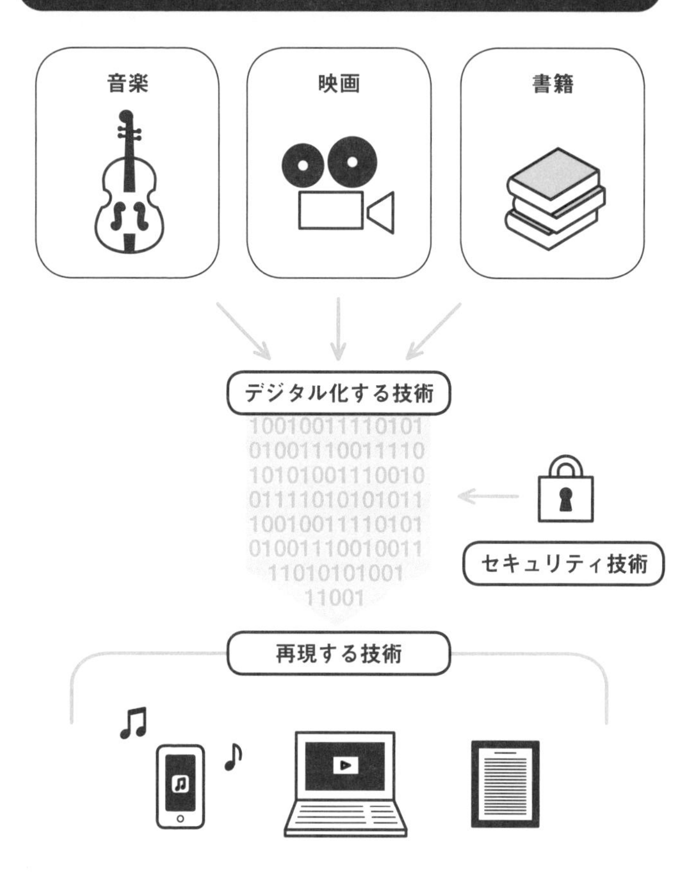

・アナログ技術ではテレビでラジオ（音楽）は楽しめなかった。情報がデジタル化された結果、あらゆる情報が一つのデジタル機器で楽しめることになった。
・テレビ、ラジオ、CD・DVDプレイヤーなどの専用電子機器はデジタル機器に代替されていく。

情報の流通革命❷ クラウド

さて次に、そのデジタル化された情報がインターネットで行き来することになった今、どんな変化が起きているのか見ていきましょう。

一番の変化は、情報が自分の機器でなく、インターネット上の鍵つきロッカーに保管されることになった点でしょう。**この鍵つきロッカーをクラウドと呼びます。**このロッカーと自分のスマートフォンやパソコンはインターネットでつながっています。ですから、どこでも自分のロッカーにアクセスして情報を利用できます。駅にあるコインロッカーがインターネットでつながっているイメージでしょうか。ただ、インターネットでつながっていても、コインロッカーのモノは取れません。しかし、クラウドに収められているのは情報ですから外からそれを利用できるのです。

みなさんに一番馴染みのあるクラウドサービスは、Gmailやヤフーメールでしょう。ケータイメールは、自分のケータイからしかアクセスできませんでした。しかし、Gmailであればスマートフォンからもパソコンからもメールを送受信できます。家のパソコンで途中まで返事を書いたメールは、電車に乗ってスマートフォンでアクセスしても途中からまた書き出せます。

それにhuluやKindleといったコンテンツ配信サービスもクラウドを利用しており、家で途中まで見た映画を電車で続きから見られます。こうしたことが可能なのは、クラウドにある一つのコンテンツを複数の機器で操作しているからです。インターネット上に一つのDVDやCDプレイヤーがあると想定して、それをパソコンやスマートフォンから操作しているイメージです。**クラウドは、どこでも好きなときにサービスを楽しめる技術**なのです。

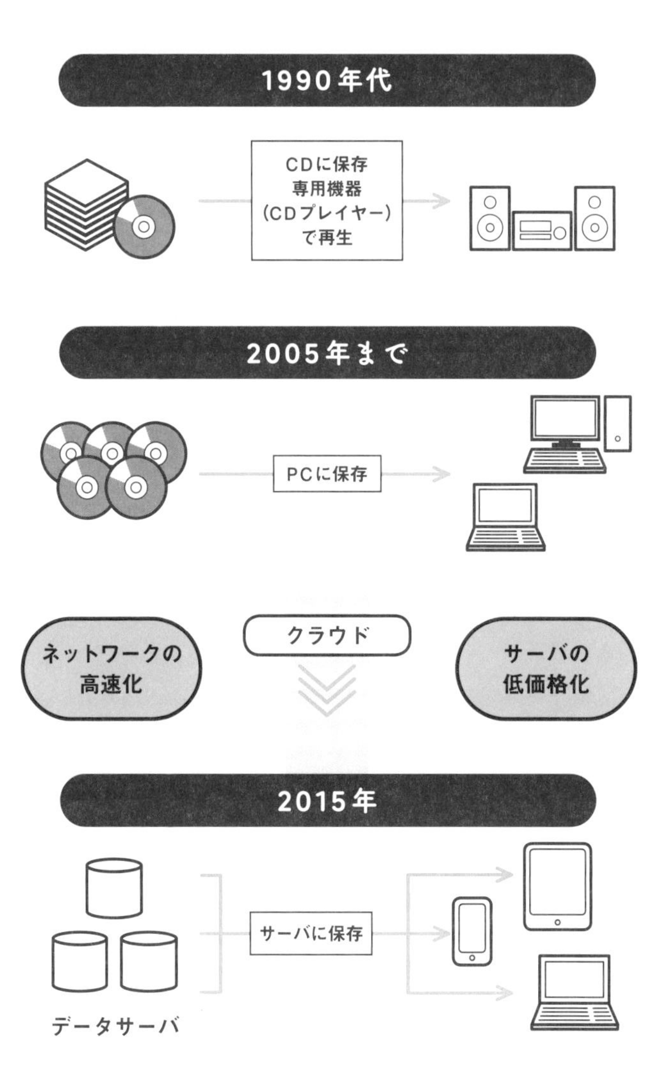

・情報がクラウドに保管され、どこからでもその情報にアクセスすることが可能になった。

サービス提供型ビジネスの成長

さて、デジタル化により、わたしたちはいろいろな種類のコンテンツをどこでも楽しめるようになりました。さらにクラウド化でインターネットがあれば、いつでもコンテンツを楽しめるようになりました。

つまりデジタル化もクラウド化も、ハード機器と情報を切り離すイノベーションです。ハード機器の**ハード**とは、スマートフォンやパソコンといった実際に目に見えるモノや機械のことを指します。**ソフト**は、スマートフォンやパソコン上で文章を書いたり、ゲームをしたりするプログラムやサービスのことです。パソコンのディスプレイはハードです。そのディスプレイに文字を表示させるのは、ソフトの役目です。つまりソフトとハードが両方揃わないとパソコンは使えません。

家電メーカーは、今までテレビを見たい人にはテレビを、音楽好きな人にはCDプレイヤーを売ってきました。専用機器が必要だった時代は、一人の人に複数の製品を売るチャンスがあったわけです。しかし、デジタルやクラウドの時代では、一人に一つのハード機器があれば十分です。

そこで、今までハード機器を作ってきたメーカーは、製品を製造・販売するビジネスから脱皮しようとしています。アップルは、iPhoneを売ったあと、iTunesを提供して音楽を販売しています。iPhoneを売るのは、一度きりの商売ですが、iTunesで音楽を販売する商売は、お客さんが音楽を買い続ける限り続きます。

ハード機器の販売では、顧客との関係は1回限りですが、サービスの提供は継続する取引・売上が見込めるわけです。月額など定期的に課金をするサービスを「サブスクリプション」と呼びます。

機器の販売は1回限り

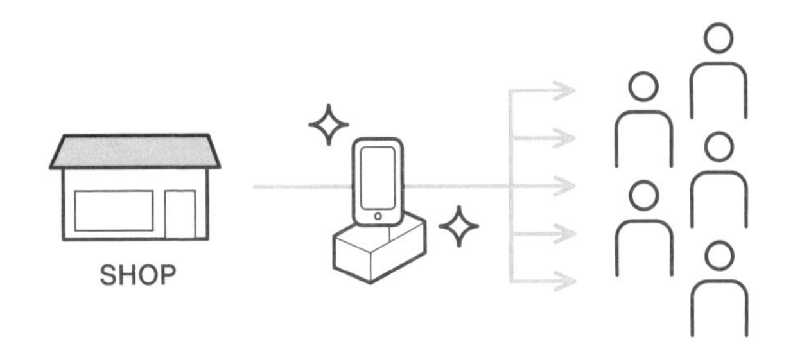

サービスビジネスは継続した売上が見込める

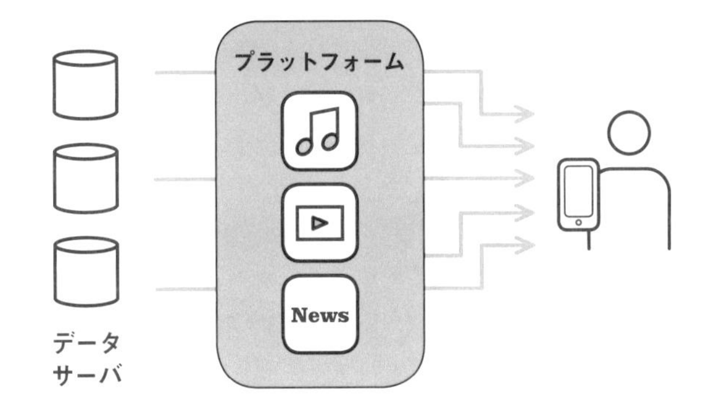

・製品(ハード)ビジネスでは顧客との関係は1回限りだが、サービス(ソフト)の販売は継続する取引・売上が見込める。

ITで変化するコンテンツビジネス

本屋さんで紙の本を買うと、それは個人の持ち物でした。ですから、それを友達に貸しても問題ありませんでした。ところが、アマゾンのKindleで電子書籍を買っても、それを友達に貸すことはできません。自分のKindleでしか読めません。

Kindleで電子書籍を買うのは紙の本とは違ってコンテンツのアクセス権を買っているようなものです。昔あった貸本屋さんやTSUTAYAのレンタルDVDビジネスと似ているかもしれません。TSUTAYAで借りたDVDを友達に貸すことはできませんよね。DVDの所有権はTSUTAYAにあります。**KindleやiTunesで購入したコンテンツは、期間が半永久的なレンタル商品と似ています。**

デジタル化された書籍や楽曲を販売する場はインターネット上にあります。実際に土地を借りて店舗を建てる必要はありません。アナログとデジタルでは、同じコンテンツのビジネスでもだいぶやり方が変わっています。

まとめてみましょう。デジタルやクラウドを利用すると、専用機器とリアルなお店が不要になりました。その代わり、書籍も映画も楽しめるスマートフォンが普及し、インターネット上のお店でコンテンツを購入することになります。ただ、購入するものは、半永久的なアクセス権であって、アナログのように買ったコンテンツを友達に貸したりはできなくなっています。

みなさんが楽しむ音楽そのものは同じですが、それを届ける技術やビジネスが変わっているのです。

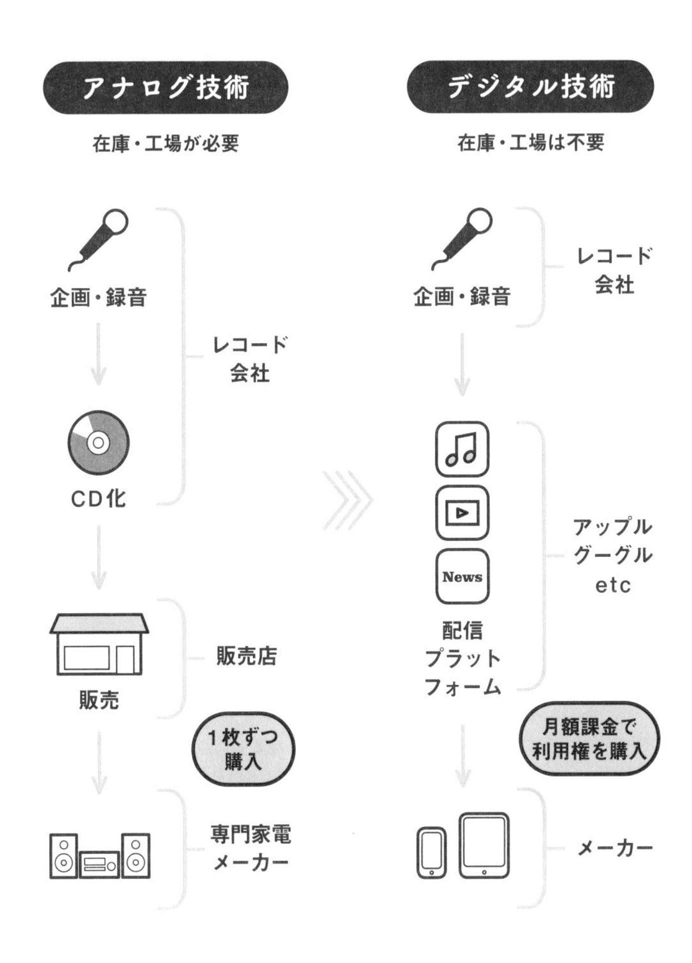

・デジタルとクラウドを利用したコンテンツ販売は、リアルな販売店なしで、ビジネスが成立する。
・コンテンツをCDやDVDとして販売するビジネスは顧客との関係は1回限り。現在は、クラウド上の楽曲や映画を月額利用料で利用するサービスが成長している。

サブスクリプションとシェアリングエコノミー

前節で、「KindleやiTunesで購入したコンテンツは、期間が半永久的なレンタルと似ています」「購入するものは、半永久的なアクセス権」と話しました。

こうしたレンタルサービスはいろいろな分野に広がっています。また、デジタルコンテンツだけでなく服のレンタル、仕事や勉強する部屋などリアルな商品のレンタルもあります。

さらに、個々の商品をレンタルするのでなく、決まった額を支払うと好きなだけ商品を使えるサービスも出てきています。何度でも服を借りられたり、音楽が聴き放題になったり。こうしたサービスを「サブスクリプション」と呼びます。定額制で使い放題なのが特徴です。

「サブスクリプション」サービスには、映画や音楽、本、雑誌といったコンテンツから、アパレル、美容室、ラーメンやカフェ、それにワークスペースまでさまざまな分野に広がっています。

「サブスクリプション」は、企業もユーザーもメリットのある運用形態です。サービス提供する企業は、決まった料金を払ってくれる顧客を確保できるため、経営が安定します。ある一定量を超える利用をすれば、毎回お金を払うよりお得になるような料金設定になっているので、ユーザー側も安心です。

デジタル化されたコンテンツやインターネットが普及し、モノを買わずにアクセス権を購入するカタチが広まったあと、リアルなモノやサービスの「サブスクリプション」という定額制が広まっています。これは、イイモノは高いけれど、長く使えるという価値観から、安くても新しいものを使うという価値観が広がっているためでしょう。

「所有」するより「借りる」。モノを「共有＝シェア」することから、こうした新たな価値観を「シェアリングエコノミー」と呼びます。次々と新しいモノが開発される時代。「シェアリングエコノミー」と「サブスクリプション」は、そんな新たな時代にあった文化です。

サブスクリプションとは

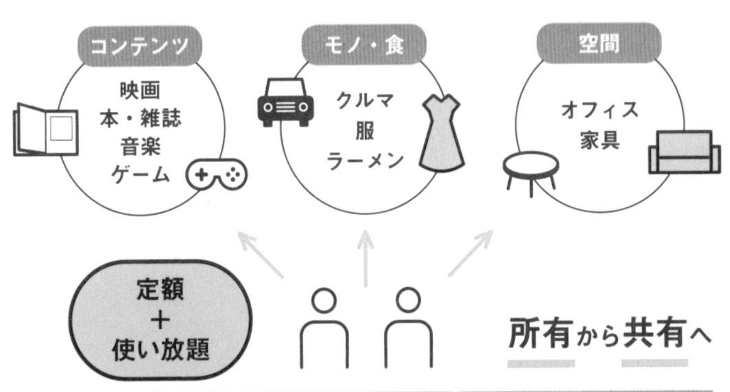

分野	企業・サービス名	内容
コンテンツ	Netflix、hulu、Apple Music、Amazon Prime Video	動画や音楽が見放題・聞き放題
アパレル	air Closet	洋服のレンタル
	Laxus	カバンのレンタル
クルマ	NOREL	クルマ乗り換え放題
	KINTO	クルマの貸出
食	野郎ラーメン	ラーメン定額システム有
	coffee mafia	定額制コーヒーショップ
家・家具	ADDress	全国にある多拠点に住み放題
	Subsclife	家具のレンタル
オフィス	OFFICE PASS	全国にあるシェアオフィスが使い放題

ITは効率化のために使われる

ここまで、何気なく使っているITやデジタルといった言葉を説明してきました。しかし、なぜ企業はIT化を進めるのでしょうか？　理由の一つは**仕事の効率をあげる点にあります。**IT化以前、車や家電製品の生産は、機械化が効率性上昇を担っていました。人間の仕事を機械が行うことで効率性を上昇させてきました。みなさんも「この工場は無人で動いています」なんて説明するテレビ番組を見たことがあるかもしれません。モノの生産などの機械化と違い、IT化は情報のやりとりや加工を効率化しています。

ではどのように変わるのか？　情報ビジネスで代表的な広告を例にとって説明します。

広告ビジネスは長い間、営業が得意先を廻って発注を取り、職人気質のデザイナーが手作りで**クリエイティブ**（広告のコピーや写真、デザインのこと）を制作してきました。広告のIT化とは、営業や制作過程を自動化してしまうということです。たとえば、人間が営業する代わりに、インターネット上に広告発注申し込み窓口を設け、顧客に発注してもらいます。そうすると、営業担当社員は時間をかけて営業活動しなくても済みます。効率的です。

通常のクリエイティブの制作過程では、複数案をクライアントに提出し、いいものを選んでもらったり、修正を依頼されたりするやりとりがありました。IT化されたクリエイティブ制作では、複数のクリエイティブ案を同時にインターネットで表示し、反応のいいものだけを残していくというやり方をします。

さて、この章では主にITそのものについて説明してきました。次の章ではそのIT業界にどんな会社があるのか？　を見ていきましょう。

広告媒体
（メディア）

営業の仕事

クリエイティブの仕事

媒体料

媒体開拓営業：広告を掲載してくれるメディアを見つける。企業から広告予算を獲得しても、掲載メディアがなければ広告ビジネスが成立しない。

クリエイティブ案を複数制作。どの案がいいかは感覚的に判断。

広告会社

クライアント営業：広告を出したい企業をクライアントと呼ぶ。メディアプランニングや投資効果などを企画提案する。

広告クリエイティブやメディアプランを企画、提案する部署は営業と一緒に行動する。

IT化

広告
クライアント

直接、クライアントが広告を申し込む仕組みを構築し、営業の効率化を図っている。

複数のクリエイティブ案を自動生成するソフトを構築し、効果の最適化を図る（4-8を参照）。

1. IT（Information Technology）業界は、個人情報から映像や音楽まで「情報」を扱う業界である。

2. 情報はデジタル化されクラウドに格納、インターネットでアクセスするものになった。

3. その結果、情報を売るだけではなくレンタルするビジネスが成長している。

第3章

ITで変化したメディアについて知って就活に活かそう

3-1 メディアってなんだろう?
3-2 業界によって違うメディアの捉え方
3-3 IT化で読者の少ないメディアが成立
3-4 ポータルサイトとソーシャルメディア
3-5 メディアとプラットフォームの違い

メディアってなんだろう？

ここからは広告やコンテンツ、それにメディア業界のIT化について説明しましょう。

メディアはラテン語の'medius'、「中間」という意味の言葉が語源です。統計学で「中央値」を意味する'median'＝メジアンも同じ語源です。メディアは中間という意味から派生し、モノとモノの間にあるもの、情報を伝達・媒介するものも示すようになりました。メディア＝'media'は複数系で、単数形は'medium'といいます。ちなみにあの世とこの世をつなぐ霊媒師のこともメディアム＝'medium'と呼びます。

さて、この本で考えなければならない**メディアは、人と人の間にあって情報を伝達するもの**です。なかでもテレビや雑誌、新聞などをマスメディアと呼びます。マスは「大きな」とか「集団」という意味でしょうか。マスプロダクションというと大量生産を意味します。20世紀はテレビや冷蔵庫、車といった大量生産の工業製品が社会にあふれていました。マスメディアも大衆に向けて情報を伝達する役割を担いました。

21世紀に入り、インターネットが普及すると、マスメディアにも変化が訪れます。まず人々はマスメディアが伝える画一的な情報に加えて、自分の知りたいと思うものを探すようになりました。また、毎朝届けられる新聞や、決まった時間にしか放送できないテレビと違って、インターネットメディアは情報をいつでも伝達できる速報性、スピードで優っています。フェイスブックやツイッターなどのソーシャルメディアと呼ばれるメディアも出現しました。ソーシャルメディアも情報を伝達することに変わりはありません。しかし情報を編集する人がいないなど、今までのマスメディアとはその仕組みが大きく異なっています（その違いはこのあと3-4で説明します）。ITやインターネットがメディアの姿を変えているのです。

政治・経済・行政・ライフスタイル etc.

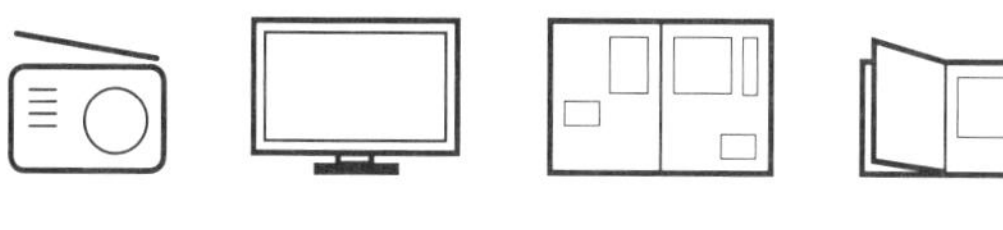

新聞・雑誌・テレビ・ラジオ etc.

・メディアは社会と大衆の中間で情報を編集・加工・伝達する。

業界によって違うメディアの捉え方

メディアに関わる業界、テレビや出版業界の人たちと広告業界の人たちが考えるメディアは、微妙に重なっていない部分があります。

テレビ局で番組を作ったり、新聞社で記事を書いたりする人たちが考えるメディアは、コンテンツ主導型といえます。人々が興味のあるコンテンツ＝情報を作り、その**コンテンツを見せる場がメディア**なわけです。

広告業界の人たちにとって、コンテンツは必ずしも必要でなく、とにかく**人が集まる場であれば、メディアを意味します。**たとえば、繁華街の交差点。人がひっきりなしに行き交う場所にはたくさん屋外看板が掲げてありますね。交差点の空間にはなにもコンテンツはないにもかかわらず、その空間は広告業界にとってはメディアなのです。なぜなら、そこに広告を出したい会社がたくさんあるからです。

しかし、テレビ局や新聞社、出版社で記事や番組を制作している人にとっては、そうしたコンテンツ（記事や番組など）を制作していないメディアはメディアとは思ってないでしょう。コンテンツといっても、娯楽作品だけでなく広く知識やニュースなども含め、その情報を加工したり、組み合わせたりする行為がコンテンツ業界の人の仕事です。このように、広告業界にとってのメディアはコンテンツ業界の人がイメージするメディアよりも範囲が広いのです。

メディア企業といわれる会社は、たいてい自社で記者や編集者を雇っています。コンテンツを作り続ける機能こそがコンテンツ企業の本質なのです。そのコンテンツを制作する仕事も、記事を書く人、写真を撮る人、タイトルを考える人などその専門性で細かく分かれています。ただインターネットのメディア企業などは一人で記事も写真も担当するマルチな働き方をするところも出てきています。

・広告業界が考えるメディアは、テレビ、新聞業界の考えるメディアよりも範囲が広い。

IT化で読者の少ないメディアが成立

　コンテンツ（テレビ番組や新聞記事）の作り手にとって、メディアの価値は、必ずしも金銭の多い少ないとは結びついてはいません。少人数の興味しか引かない内容、たとえばゾウリムシの生態や古代マヤ文明における占星術に興味ある人は少ないかもしれません。あるいは、大手食品企業の不正を暴くといったジャーナリズムにはあまりスポンサーがつきそうにありません。それでも、**作り手は自分が世の中に送り出したいと思ったものには社会的な存在価値があると考えています。作り手の考える価値は、金銭的なものとは違うのです。**

　それでもコンテンツを作る企業やメディアを運営する企業はその運営費を稼がなければいけません。その手段の一つが広告です。

　デジタル・クラウド革命でモノの流通が変わり、リアルな店舗が必要なくても消費者にコンテンツを届けることが可能になりました。今では街のCD屋さんに行かなくても、スマートフォンから好きな音楽を購入できるようになっています。

　それはメディアの世界でも同じです。紙メディアを読者に届けるには、1台1億円もする印刷機や印刷工場から書店や販売店に運ぶ人やトラック、それに消費者の近くに小売店も必要です。とても大きな投資額ですね。

　紙メディアを支えるための、広告ビジネスが扱う金額も大きくなります。広告で大きなお金を稼ぐには多くの読者が必要です。しかし、デジタルやインターネット技術を使えば、印刷機や紙のメディアを運ぶ人や仕組みは必要ありません。つまり、少ない読者でもメディアが成り立ちます。

　もともと作り手は読者の数に関係なく必要とされれば情報を届けたいと思うものではないでしょうか。インターネットのおかげで、少ない資本でもそのことが可能になっているのです。

マスメディア

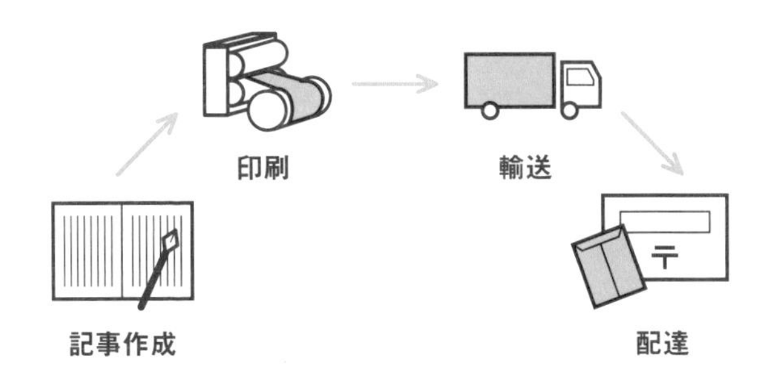

情報が読者に届くまで手間がかかっている。

インターネットメディア

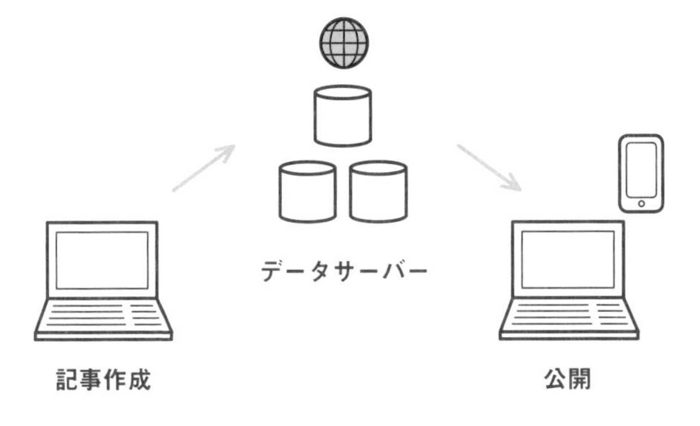

読者への伝達コストが少ないため、少数読者のメディアも成立。

ポータルサイトとソーシャルメディア

1990年代、インターネット上のメディアはポータルサイトと呼ばれていました。インターネット上の情報から面白いものを集めてきて表示させていたのです。たとえば、ヤフーのパソコン版トップページはポータルサイトの典型的な例です。

新聞がいい例ですが、アナログ時代のメディアは自分たちでニュース記事を書き、自社で読者まで届けていました。インターネットのポータルサイトは、ニュースを集めることに特化します。その集めた情報は新聞社などいわゆるプロが作ったものがメインでした。

1990年代から2000年代初頭まで、ポータルサイトは画期的なイノベーションと捉えられていました。しかし、メディアはさらに次の大きな変化を経験します。

その変化はフェイスブックなどソーシャルメディアがもたらします。ソーシャルメディアでは、誰もが情報を書き込め、共有したり、コメントを残したりすることができます。今までのメディアと違って、ニュースの作り手と読者が同じ人なのです。**ソーシャルメディアを運営する企業は場を提供するだけで、コンテンツを作るのも受け取るのも全てユーザーがする**ことになりました。

この点で、ソーシャルメディアはとても画期的です。広告業界の視点ではフェイスブックもメディアと捉えられるでしょう。コンテンツを制作している業界にとってはフェイスブックをメディアと呼ぶ人は少ないかもしれません。それでも、フェイスブックには人がたくさん集まっています。インターネット空間の繁華街の交差点のようなものです。

人が集まれば広告メディアとなるのは、リアルな空間もインターネット上でも同じことなのです。

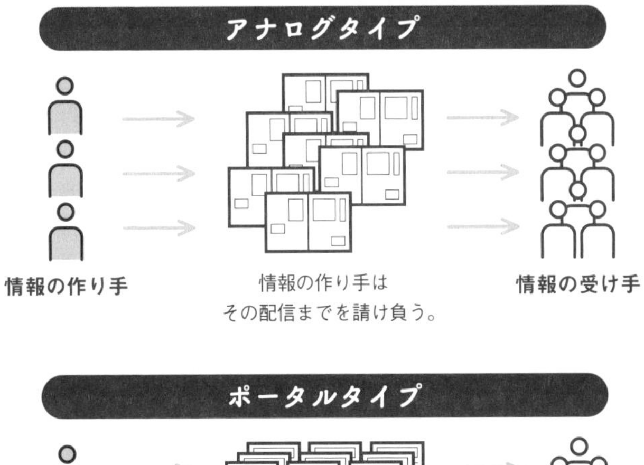

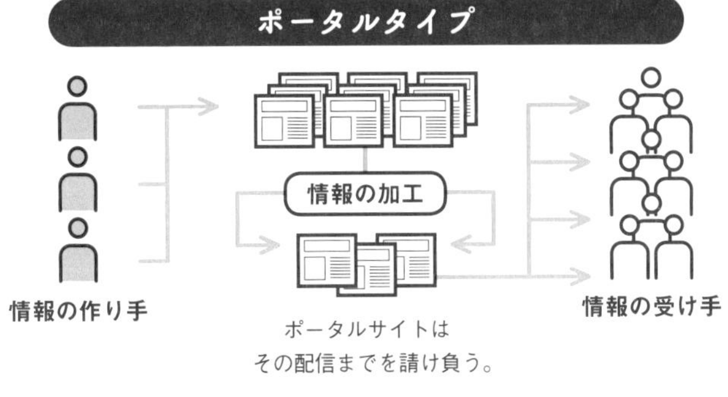

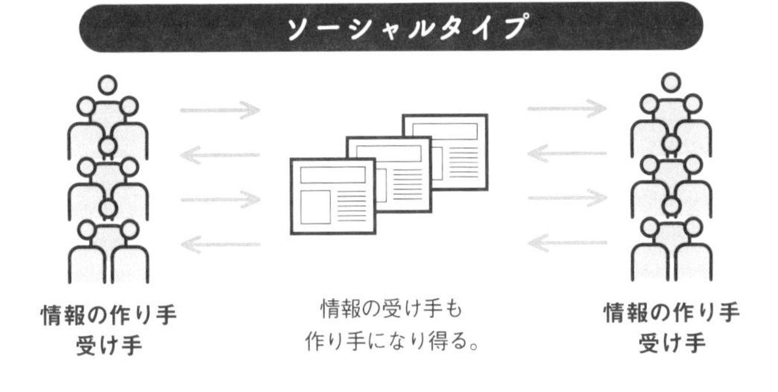

・ソーシャルメディアでは、情報の送り手と受け手は融合する。

メディアと プラットフォームの違い

ここで最近よく聞かれるプラットフォームについて触れておきましょう。この本で扱うIT業界のメディアやコンテンツ分野では、プラットフォームとは、SpotifyやAppStoreのような情報やコンテンツを販売する仕組みを指します。完成した商品を消費者に販売するために、決済や課金の機能をアプリ開発会社や小売店に提供するショッピングモールのような存在でしょうか。

買い物するたびに、クレジットカードを登録するのは面倒ですよね。同じプラットフォームであれば、一度登録するといつでも便利に買い物ができます。また、プラットフォームが商品の質をある程度保証しています。

メディアは、モノではなく情報を流通させるイメージでしょうか。その情報を得るために人が集まって、自然と場が成立します。メディアはたいてい広告ビジネスでその運営コストを賄っています。地上波テレビや新聞や雑誌もフリーペーパーと呼ばれる無料のメディアがたくさんあります。ただややこしいのは、アマゾンは通常本などのコンテンツのプラットフォームと呼ばれていますが、多くのユーザーが集まっているという視点で考えると広告メディアとしても成立しそうですね。

アマゾンはメディアなのかプラットフォームなのか？　その捉え方の違いはなにに注目するか視点の違いにありそうです。つまり、アマゾンの売っている商品に注目すればプラットフォームであり、集まる人に注目すればメディアと呼んでもよいでしょう。**同じ企業でも、メディアとプラットフォーム、どちらと捉えるかは、人と商品、どちらに注目するのか、その視点の違いなのです。**

メディア（広告収入）

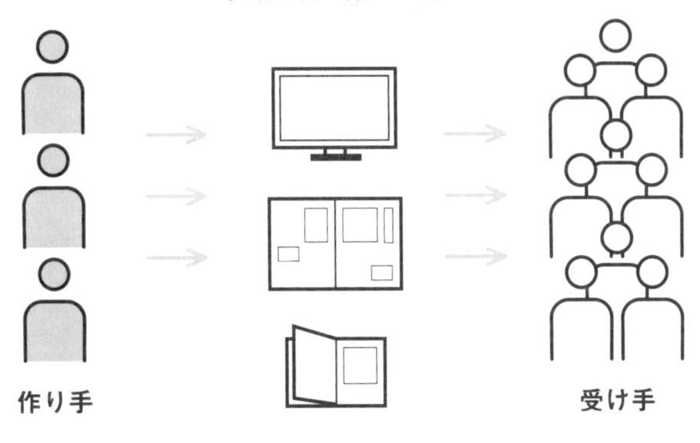

プラットフォーム（有料課金）

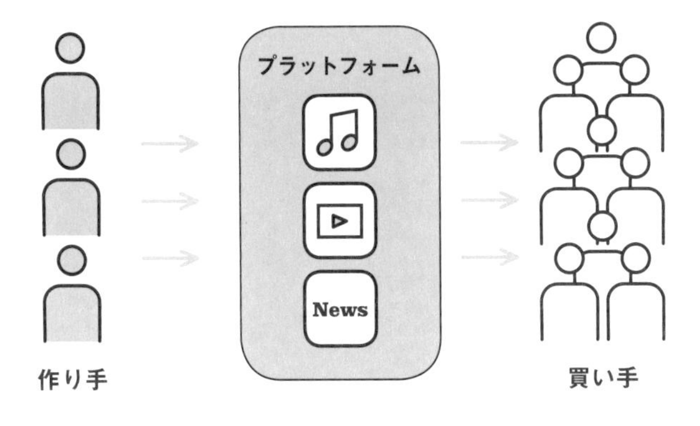

・プラットフォームは、コンテンツを取引する場である。

1. 広告業界は、人が集まる空間は全てメディアと考える。コンテンツ業界は、コンテンツがなければメディアとは呼ばない。

2. ソーシャルメディアが今までのメディアと違うのは、情報の編集・加工を一般の消費者も行う点である。

3. 場を流通する商品に注目するのがプラットフォーム、場に集まる人に注目するのがメディアである。

COLUMN

海外のイベントに行って 最新のIT情報に触れよう

IT業界の新しい動きを摑むには、海外のカンファレンスに参加するのが一番だ。カンファレンスとは多くのメーカーが集まり新製品を展示したり、新たなビジネスへの取り組みや対応などを議論する場のこと。

たとえば、 毎年1月にアメリカのラスベガスで開かれるCES（Consumer Electronic Show） は、世界中の家電メーカーや自動車メーカー、それにメディア業界の人たちが10万人以上集まってくる。

展示会場では最新のテクノロジーを体験できるし、その横では政府関係者や広告会社の大物が一堂に会してディスカッションを繰り広げる。欧米だけでなく、中国などアジアから来た人たちも熱い質問を投げかけるこうしたトークイベントに参加すると、とても刺激になる。

それに海外のイベントは、講演者と参加者の距離が近い。ディスカッションが終わったあと、気軽に名刺交換すれば、人脈が広がる。朝は会場で朝食を摂りながらの講演会、夜はネットワーキング・パーティーが毎日開かれる。こうした場所で楽しく知り合いを増やせば、次のビジネスチャンスにつながる。

こうした海外のカンファレンスに参加すると、帰国してからの仕事ぶりがだいぶ変わるハズ。もし、会社に入って、参加者を募集していたら、迷わず手をあげよう。

COLUMN

IT業界の最新情報はどこでチェックする？

IT業界の新しい潮流は、アメリカ、それも西海岸のカリフォルニア州サンフランシスコ郊外のシリコンバレーと呼ばれる地域で生まれる。新しいアイデアで起業したい人たちが集まっているからだ。

だから、シリコンバレーのニュースを毎朝チェックするのは必要不可欠。シリコンバレーのIT系メディアで一番有名なのは毎日更新されるネットメディアであるTechCrunch。すでに日本語版もあるが、やはり英語版の情報のほうが早い。Breaking Newsと呼ばれる特ダネニュースは、TechCrunchのツイッターアカウントなどをフォローしておけば、逐次タイムラインに流れてくる。

気になったニュースはそこからリンクを辿り目を通しておこう。3カ月間毎日、タイトルだけでも頭にいれておくと、次第にデジタル業界の全体像がわかってくる。

ほかに、広告業界を目指す人たちに必須なメディアは、Advertising Ageだろうか。こちらも、ネットで記事が読める。大手広告会社の動向、最新の広告技術、ビジネスモデルなどが毎日更新されている。

ほかにも、アドテク関連ならAdexchanger.comやBusiness Insiderなんていうメディアもオススメ。もう少し、メディアやコンテンツよりなら、Varietyだろうか。メディア業界の動きが毎日レポートされている。

こうしたメディアに毎日５分でいいから接してみよう。そうすると、動きの早いIT業界に慣れてくるだろう。

第4章

ここまで進んでいるIT広告の最先端を理解しておこう

4-1 ITによるマーケティングの進化
4-2 ITによる効率的なメディア運営
4-3 リアルタイムに強いITメディア
4-4 ITで情報の組み合わせを変えられる
4-5 ユーザーの行動履歴を把握する
4-6 広告ビジネスの画期的な変化
4-7 リターゲティング広告
4-8 クリエイティブの自動化
4-9 アドエクスチェンジ
4-10 グーグルのアドテクノロジー
4-11 変化する広告ビジネス
4-12 アドテクノロジーの新たな動き
4-13 求められる、情報の共感型サービス

ITによる マーケティングの進化

さて、この章では広告とITの結びつきについて説明しましょう。

企業のマーケティング活動には、マスメディアに出稿する「メディア広告」と、消費者に直接働きかける「ダイレクトマーケティング」の2種類あります。典型的なダイレクトマーケティングの例はダイレクトメールです。アメリカで有名な雑誌『TIME』や『LIFE』はほとんどが家に郵送されていました。

そのため出版社や新聞社は、どこにどんな人が住んでいるのか知っていました。これが、当時のメディアの強みだったのですね。そして、そのリストをもとに広告主から依頼されたターゲットにダイレクトメールを送っていたのです。

1990年代に「One to One（1対1）マーケティング」という言葉が流行りました。店員がお客さんの好みを記憶していて、次回来店時に好みにあった商品を勧めるといった手法です。

これって、今でもどこかで聞いたことがありませんか。アマゾンで本を買うとオススメが表示されます。ヤフーにアクセスすると以前アクセスした情報と似たような広告が表示されたり。アマゾンやヤフーは昔店員さんがやっていたことと同じサービスをしているかのようです。

では、誰がやっているのでしょうか？　アマゾンの社員がお客さん一人一人にオススメを選んで送っているわけではありませんね。これはインターネットの仕組みを使って、お客さんが過去になにを選んで買ったのかのデータをため、その情報をもとにオススメを自動配信しているのです。つまり、アマゾンなどのレコメンド機能（オススメ自動配信機能）は、昔からのマーケティング手法とITが結びついたサービスなのです。

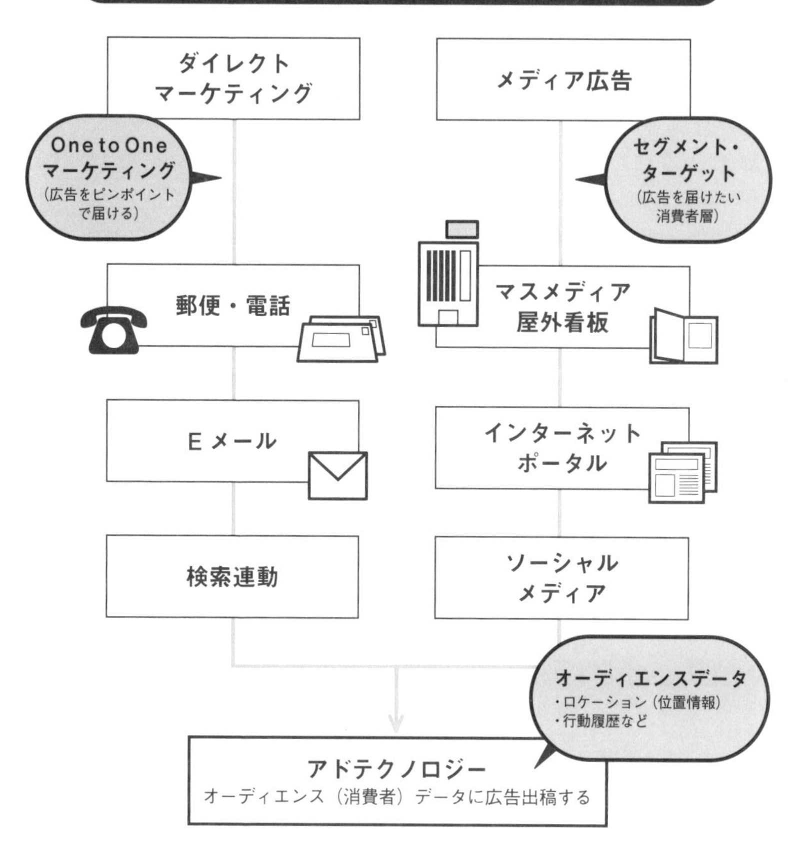

・企業のマーケティング活動には、メディア出稿する「メディア広告」と、消費者に直接働きかける「ダイレクトマーケティング」という、2つの手法がある。
・アドテクノロジー(インターネット広告の先端技術)は、従来のメディア広告とダイレクトマーケティングが合体した全く新しい広告手法といえる。

ITによる効率的なメディア運営

いっぽうメディアに出稿する広告ビジネスとITはどのように結びついていったのでしょうか？

インターネットのメディアは、印刷代や書店や販売店への運搬費がかからないので、メディアを始めるコストが新聞や雑誌、それにテレビと違って圧倒的に安いですね。ソーシャルメディアでは、書き手を雇う必要もありませんから、記者の人件費や交通費などのコストもかかりません。

コストが安くなると、メディアを始める人が増え、その数が増えます。つまり、たくさんのメディアが生まれるわけです。しかしメディアの数が増えても、消費者がメディアに触れる時間は限られています。ですから、一つ一つのメディアの読者は少なくなります。そして人の集まらないメディアには広告を出したい企業もあまりいません。つまり、こうしたメディアは金銭的価値が低いのです。**こうしたメディアをロングテールメディアと呼びます。**そのため、営業が広告を出したい企業を開拓する手間とその売上が見合いません。

そこに、ITが活躍する余地が出てきました。工場を無人化して効率化をするように、営業がやる仕事を無人化すればいいのではないかという考えです。

たとえば営業が得意先を廻って受注を取るのでなく、得意先が広告を出したいときに自分でインターネットで申し込んでもらうといった仕組みはどうでしょう。営業は毎日仕事を取れるわけではありません。そこで顧客が広告を出したいときに簡単に申し込めるインターネットサイトを作っておけば仕事が取れなかったといった無駄がありません。キャンペーンなどを営業の代わりにメールでお知らせすれば、一度に大量の顧客に届くのでさらに効率的です。

このように、ITを使って広告ビジネスも効率的に仕事ができるようになっています。

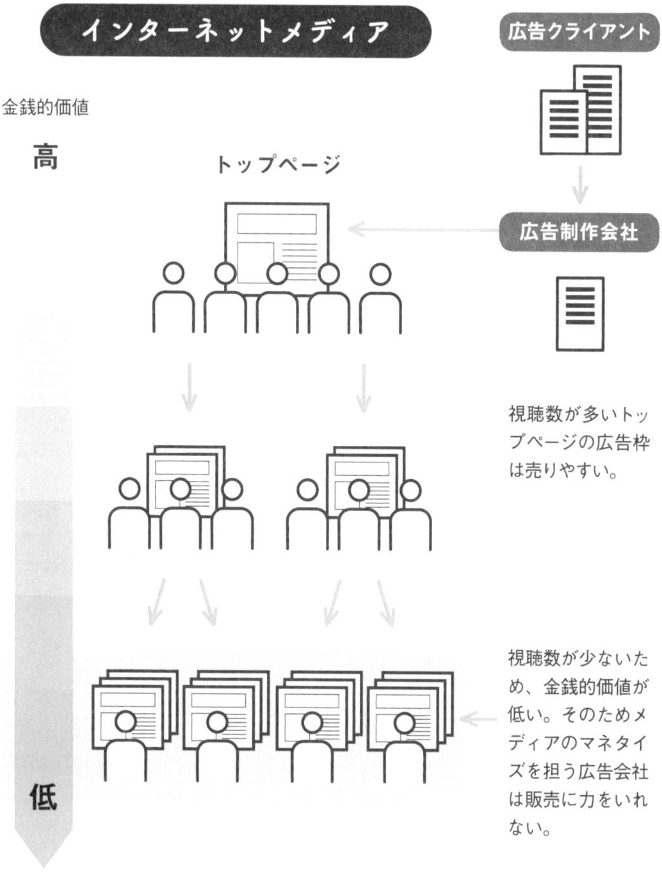

インターネットメディア

広告クライアント

広告制作会社

金銭的価値

高

トップページ

低

視聴数が多いトップページの広告枠は売りやすい。

視聴数が少ないため、金銭的価値が低い。そのためメディアのマネタイズを担う広告会社は販売に力をいれない。

・インターネット空間に増えたロングテールメディア（読者が少数のメディア）は、金銭的価値が低いため営業が広告枠を販売する従来の営業手法では売上をあげるのが難しい。
・そのため低コストなビジネスモデルやテクノロジーが求められた。

リアルタイムに強いITメディア

ここで、インターネットの仕組みに少し触れておきましょう。

みなさんがインターネットを通して、ウェブサイトを見ているとき、その情報はどのように映し出されているのでしょうか。

紙の雑誌やマンガであれば、今読んでいる情報は紙に固定されています。情報は変化しません。あとで間違いに気づいても、情報の送り手が受け手に届いた情報を変えることはできませんね。

では、インターネットはどうでしょうか？

iPhoneに映し出されている情報は、ディスプレイ上にあるのではなく、インターネットにつながっているサーバに格納されている情報を映しています。サーバとはデジタル化された情報を保管する機器のことです。音楽や画像、それにテキストが本棚に整然と保管されている図書館を思い浮かべてください。その本棚に収められている画像やテキストを取り出してiPhoneのディスプレイに表示しているのです。URLは本棚の場所を示しています。URLが間違っていれば、違う本を表示してしまいますし、本棚の本を入れ替えると、同じURLなのに違う本を取り出すことになります。それと同じで、**サーバに格納されている情報を変えれば、ユーザーの見ている情報は変わってしまいます。**ということは、送り手は情報をどんどん変えられるのです。

当初、こうしたインターネットの特性は広告ビジネスに活かされることはありませんでした。紙やテレビと同じで、一度ユーザーに届いてしまった情報は変えられないという考えのままインターネットの広告ビジネスをしていたのです。

・ディスプレイに映る情報は、サーバに格納されている情報を表示しているだけである。つまり、サーバ上の情報を変えれば、ユーザーの見ている情報は変わる。
・広告会社は2010年代まで、その利点を活かそうとはせず、従来と同じメディア売買ビジネスをしていた。

ITで情報の組み合わせを変えられる

もう一つ、インターネットの特性をここで説明します。

インターネットで表示されるウェブページ。そのウェブページに表示されている広告や情報といった一つ一つの要素（広告やコメント欄、画像など）も、それぞれその内容を変えられます。

さきほど、サーバに格納されている情報を変えるとディスプレイに映っている情報も変わるという話をしました。サーバは図書館の本棚みたいなものだという話もしましたね。一つのウェブページは、そのコーナーごとに違うサーバの情報を組み合わせて表示することができます。違う本の数頁をまとめて1冊にするイメージです。つまり、コンテンツ部分と広告とは違うサーバの情報を組み合わせられるのです。

紙の雑誌では一度印刷したら、コンテンツと広告の組み合わせは変えられません。しかし、インターネットではコンテンツとその脇に表示される広告の内容はいつでも変えることができるのです。

これはとても大きな変化です。

名作マンガはいつの時代でもその価値は変わりません。しかし、広告はどうでしょう。10年後そのマンガを読んだときにもともと広告されていた商品はもう売っていないかもしれません。

そんなとき、**インターネットであれば、マンガはそのままに広告だけを最新のものに変えることができるのです。**そうすれば、何年もの間そのマンガは収益をあげることができます。制作の回収見込みが立てば、よりコンテンツ制作が活性化します。

読み捨てられる雑誌やマンガも、インターネットと広告の仕組みを使うことで生まれ変われます。インターネット広告は、メディアやコンテンツビジネスに新しい役割や手法を持ち込んでいるのです。

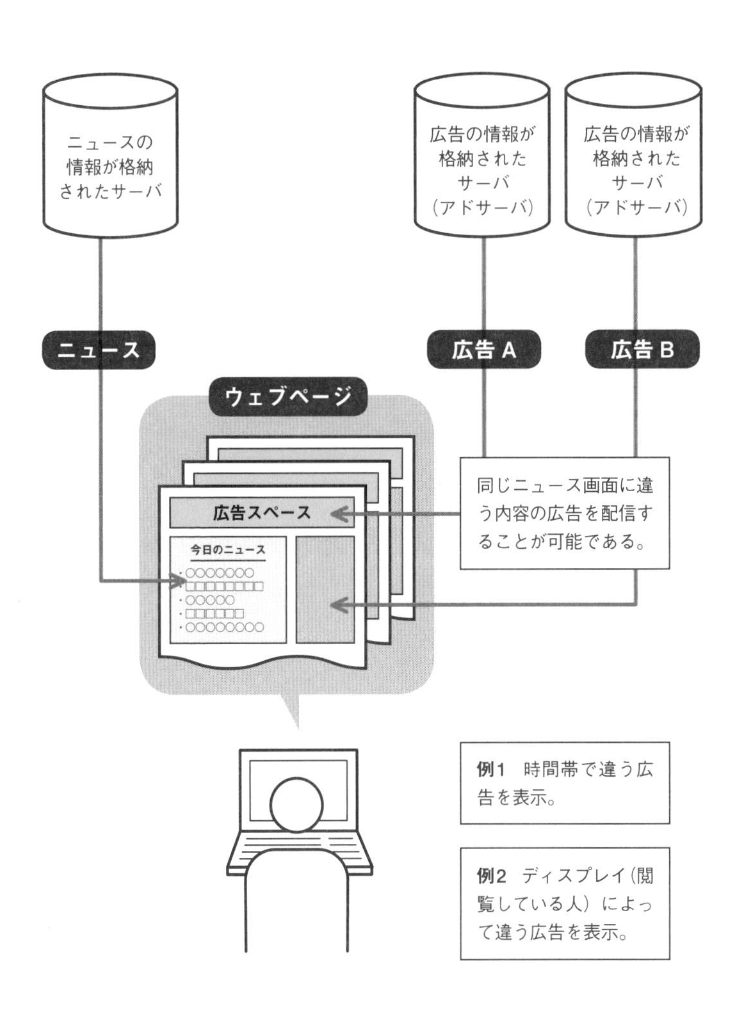

・ディスプレイに映る情報は、複数のサーバに格納されているものが合成されている。
・つまり、コンテンツと広告はそれぞれ独自に組み合わせることが可能である。

ユーザーの行動履歴を把握する

インターネットはインタラクティブ（双方向）なメディアといわれています。それはユーザー同士が交流するといった意味だけでなく、インターネットの仕組みそのものが、双方向で成立していることに由来しています。

インターネットでウェブページが表示されるためには、ユーザーから情報が格納されているサーバに「表示してください」というリクエストが必要です。

これは、従来のテレビのようなメディアと大きく違うところです。テレビはスイッチをつけるといつでもテレビ番組が映し出されますよね。水道と同じように、情報は送り手から受け手側に常に流されているわけです。

ところが、インターネットは受け手側がアクションを起こさない限り、なにも情報は映し出されません。パソコンやスマートフォンからこの情報を映してほしいというリクエストをして初めてページが表示されるのです。

この仕組みは、企業のマーケティング活動にとって、とても重要です。**ユーザーからアクセスしてくるのですから、そのユーザーの嗜好がわかります。**旅行好きなのか、家電好きなのかといったその人の特徴が、アクセスするサイトの種類でわかるのです。第1章で説明した検索も同じですね。いつ、どんな情報にアクセスしようとしたのかといったユーザーの行動履歴がわかります。するとその行動履歴をもとに、ユーザーの未来の行動も予測できます。たとえば、ハワイのホテルサイトにアクセスした人は、近々ハワイに行く予定があることが推測できますね。

インターネットのインタラクティブ性という仕組みをマーケティングに応用すると、ユーザーの嗜好や未来の行動がわかるのです。こうした利点を思いついた人たちが、アドテクノロジーという広告のIT化で最も進んだ分野を開拓していきます。

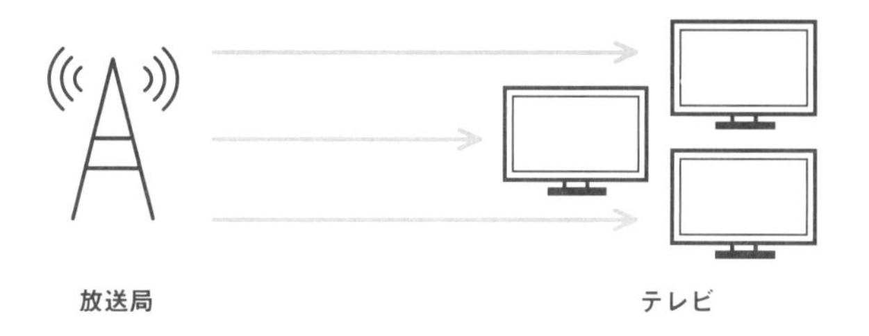

・テレビは放送電波を受信するだけである。
・放送局は誰が見ているか把握する手段がない。

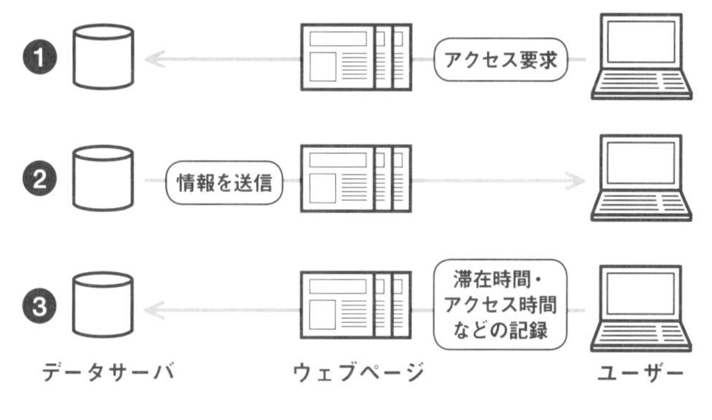

・端末からリクエストがまずある。
・インターネットメディアは誰がアクセスしているか把握できる。

・インターネットでは、端末（ユーザー）から情報元にまずリクエストがあり、サーバが情報を返信するというインタラクティブ性（双方向性）のもとに情報のやりとりが成立している。

広告ビジネスの画期的な変化

2009年頃からアドテクノロジーと呼ばれる広告とITを融合させたイノベーションが起きました。ちなみにアドは広告という意味です。

一つめはリアルタイム性です。インターネットのウェブサイトではサーバ上の情報を変えることで、ユーザーに届ける情報をリアルタイムに変化させることができました。二つめは、インタラクティブ性です。インターネットではテレビと違ってユーザー側が欲しい情報をリクエストします。ユーザー側からアクションが起こる仕組みになっています。このリアルタイム性とインタクラクティブ性を組み合わせると広告にどんな変化がもたらされるのでしょうか？

まず、広告をリアルタイムに変化させることができます。コンビニや街の雑貨屋さんでは、急に雨が降ってきたら傘を店頭に出して売り始めますよね。それと同じことが広告でも可能になります。週末が暑くなる天気予報が出たら、ビールやアイスクリームの広告を出すなど、メディアに出る**広告をリアルタイムに変化させる**ことができるのです。

次に、インタラクティブ性を利用すると、ユーザーの行動履歴が把握できます。このユーザーはどんな嗜好を持ち、どんな予定があるのかが推測できます。その推測に応じた広告を出せば、高い効果が期待できます。さらに、リアルタイムに広告を変化させれば、より効果が高まりそうです。

行動履歴に基づき広告を出稿するという考え方は、広告業界にとってとても大きなイノベーションです。その昔、雑誌が宅配されユーザーのマーケティングデータを持っているのがメディアの強みだった頃、そのデータは属性データを意味しました。属性とは、性別、年齢、住所、職業などその人の客観的な情報です。もちろんそれがわかるだけでも重要なデータです。テレビや雑誌は、こうした属性の枠組みでターゲットを絞っています。このテレビ番組は20代女性がよく見ているとか、この雑誌は主婦によく読まれているとか。

メディアだけではありません。商品開発もこうした属性データに頼ってきました。シニア世代向け商品とか、女性に優しい家電とか、みなさんもよく聞かれると思います。**ある世代は同じ考え方や生活様式をするという前提でマーケティングは成り立ってきました。**属性データの弱点は、くくり方が大きすぎて例外がたくさん発生する点です。たとえば、30代女性をターゲットとする商品があるとしましょう。しかし、**30代といっても31歳と39歳ではだいぶ生活も違う**し、専業主婦の31歳と働いている31歳でも生活に必要なものは違いますよね。

では行動履歴データはどうでしょうか？　行動履歴データでは、その人の属性は関係ありません。25歳でも60歳でも、夏休みにハワイに行く人は、ハワイの情報が必要であるという考え方なのです。**同じ趣味の人、同好の士に年齢は関係ありませんね。**サッカー好きな人は年齢や国も関係なく同じコミュニティを作れます。そこに目をつけたのが行動履歴データで広告を出すという新しい動きです。

さらに、行動履歴データを用いると今までのメディアと広告に新たな関係が生まれます。メディアは属性データをもとに広告枠を販売していました。もう60年以上もそうした形式が続いていました。ですから、女性向け雑誌には女性向け商品しか広告が出ませんね。

しかし、その雑誌がとても面白いグルメ特集をしていたらどうでしょう？もしかしたら男性も読みたいかもしれません。紙の雑誌でしたら、それでも男性の目に触れることはめったになかったでしょう。

インターネットだったらどうでしょうか？　その雑誌がインターネット版も出していたらグルメに興味のある男性が検索してアクセスするかもしれませんね。**女性誌なのに、記事の内容によっては男性もターゲットになるわけ**

です。そのとき、その記事の横に出る広告は？　もし紙だったらもちろんそのまま女性向け商品の広告が掲載されていますね。しかし、インターネットであれば、男性がアクセスしたときは、その人向けの広告に差し替えることが可能です。このことはこの章でも説明しましたのでもうわかるでしょう。広告と記事は別のサーバから送られ、一つのページを構成しているから可能になるのでしたね。

さらに、この男性がグルメ記事を読んだという行動履歴がサーバに蓄積されます。すると、今度この男性がほかのページを読んでいるときに、グルメの広告を出すことも可能です。朝通勤中に経済のニュースを読んでるとしましょう。そのときに美味しくて有名なレストランの広告を出したらどうでしょう。その日のランチにそのお店に行くかもしれません。**今まで経済誌に地元のレストランが広告を出すことは考えられなかった**でしょう。しかし、これもインタラクティブ性とリアルタイム性を組み合わせたサービスなのです。

こうした見る人によって広告が変わる仕組み。これは広告ビジネスにおいてどんな意味を持つのでしょうか。これまで、広告は雑誌全体の読者層を目安に取引されていました。それが、まず雑誌全体ではなく個別の記事に分けられます。そして、女性誌なのに男性向けの広告が出稿されます。

これは、**記事ごとに広告ビジネスが成立する**ことを意味します。また、雑誌全体の読者属性よりも広い範囲の人たちに向けて広告を出稿してもらえます。この仕組みは、雑誌というメディアの特性でなく、読者の行動履歴に視点を変えたビジネスです。この視点の変化が、アドテクノロジーが広告業界にもたらしたイノベーションなのです。

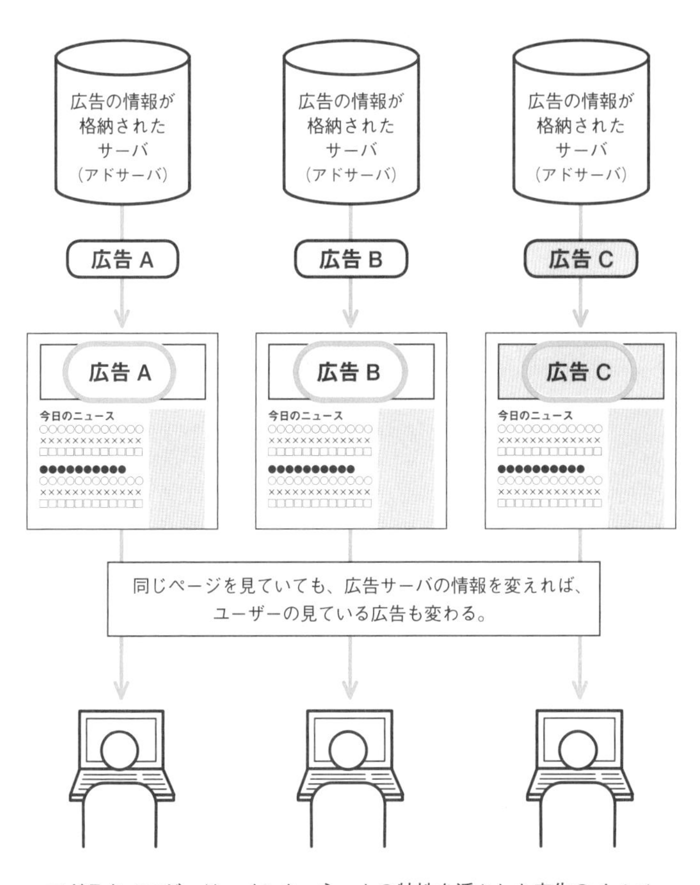

・アドテクノロジーは、インターネットの特性を活かした広告のイノベーションである。
リアルタイム性：サーバ上の情報を変えることで、ユーザーに届ける情報をリアルタイムに変化させる。
ユーザーの行動履歴の把握：ユーザーがどのサイトを見たのか？　を把握し、広告枠だけ特定の情報を配信する。
・メディア売買からオーディエンス（ユーザー）の行動履歴データ売買というイノベーションである。

リターゲティング広告

アドテクノロジーの主要なサービスを3つ紹介しましょう。

前節でグルメ好きな男性が読んでいる経済ニュースの脇にグルメ広告を出すという話をしました。みなさんも、同じような広告がインターネットのどのページを見ても表示されるという経験があるでしょう。**なぜ同じ広告がいつまでも表示されるのか？　不思議に思ったことはありませんか。**そんな経験をして、まず浮かぶ最初の疑問は「なぜ、自分がグルメのページにアクセスしたのかを、このメディアが知っているのか？」というものではないでしょうか。

これはインターネットの仕組みであるインタラクティブ性を利用しています。あなたが検索した言葉や、訪問したサイトの情報はメディアのサーバにためられていきます。実際には、あなたが使っているブラウザの行動履歴となってためられます。ですから、あなたが何歳なのか？　男性なのか？　といった属性データはわかりません。

そして、広告と情報は違うサーバから出せるとも書きました。これを組み合わせると、同じブラウザでインターネットにアクセスすると、そのサイトの広告枠に以前訪問したサイトと関連する広告が表示されるのです。

同じ広告会社と契約しているサイトは、広告配信されるサーバが同じです。ですから、サイトＡを見てもＢを見ても、同じ広告が配信されるのです。この仕組みは**リターゲティング広告**と呼ばれ、アドテクノロジーのサービスの一種です。そして、このリターゲティング広告は、アドテクノロジーの基本である個人の行動履歴をもとに広告を表示するという考え方を具現化したものなのです。

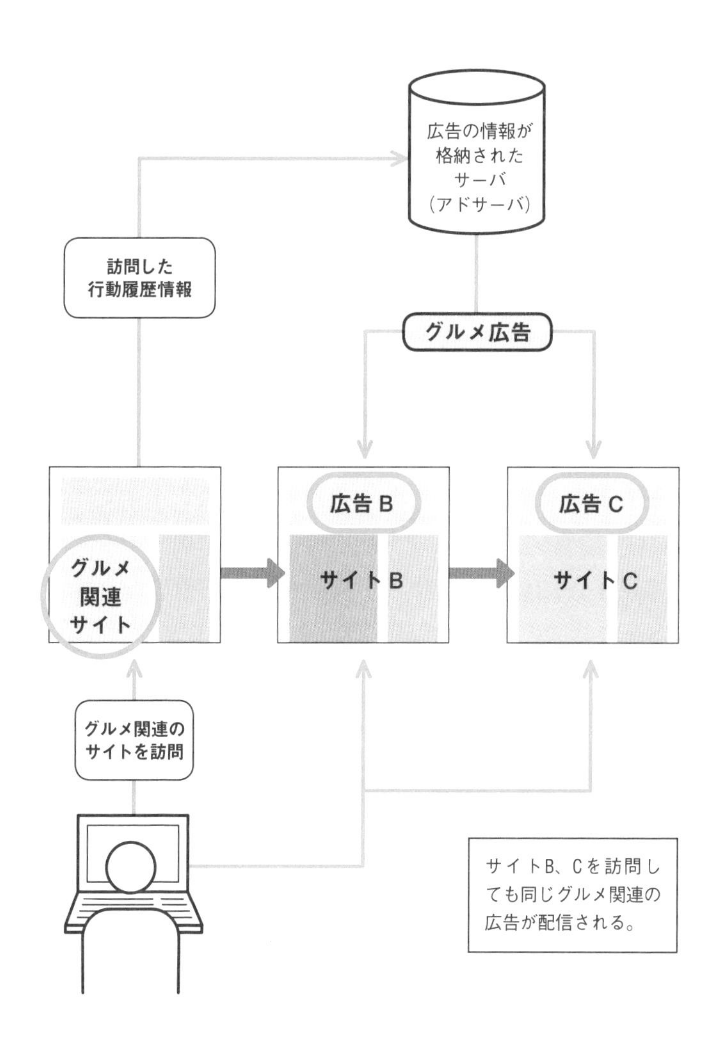

・インターネットのインタクラクティブの仕組み、コンテンツと広告枠は別々の運営が可能な仕組みを利用し、ユーザーの行動履歴に基づき、関連広告を配信する。

クリエイティブの自動化

次に、アドテクノロジーによって可能になった広告クリエイティブの自動化という話をしましょう。

ここではバナー広告と呼ばれる種類の広告を考えます。**バナー広告のバナー（Banner）は横断幕**という意味です。初期のインターネットの広告は横長の横断幕のような形をしていました。そこでインターネットに表示される横長の広告をバナー広告と呼んでいます。

バナー広告をよく見ると、宣伝コピー、色、キャラクター、商品写真などで構成されています。たとえば、背景色が黄色だったら、それを緑や青に変えてみます。パワーポイントなどを使ったことがある人ならわかるでしょう。バナー広告も同じ原理で簡単に変更することが可能です。それと、コピーのフォントを変えてみたり、さらには商品写真の場所や大きさを変えてみたりしてみてもいいでしょう。こうして、同じ要素でできている広告も、少しの変化で数千種類もバリエーションができますね。

そして、この数千種類の広告をランダムにいろいろな人に配信します。そうすると、人によってその広告をクリックしたりしなかったりします。それを何万回と配信するうちに、だんだんと反応の良いバージョンがわかってきます。

背景は緑色がいいとか、フォントは太字がいいとか。そして、ここからがとてもインターネット的なのですが、反応の悪かったバージョンをどんどん削除していきます。そのあとに、**反応の良かったバージョンの配信を増やしていく**のです。

すると、だんだんとその広告のベストなクリエイティブがわかってきます。

こうした違うバージョンのクリエイティブを制作、配信しながらいいものを残すという仕組みを**ABテスト**といいます。

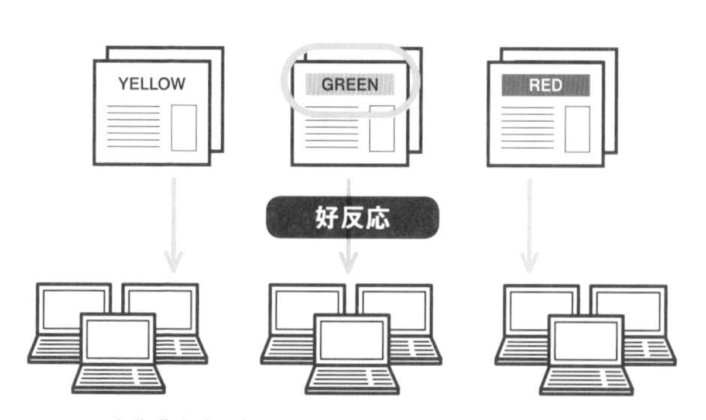

広告背景色3色のなかで緑色が一番反応が良い。

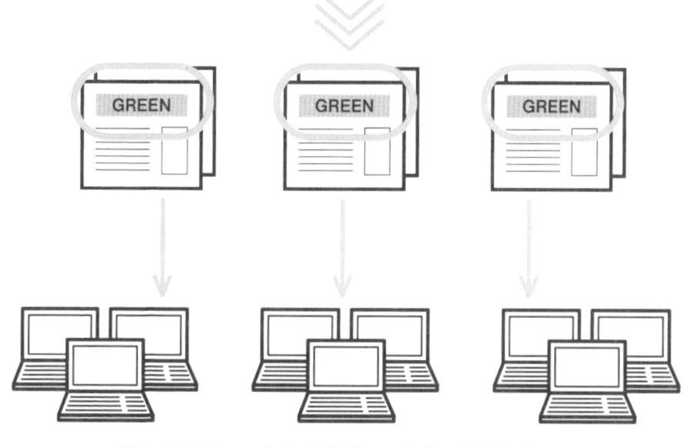

ほかの黄色・赤色も緑色に変えて配信する。

- バナー広告のコピー、色、レイアウトなどの組み合わせを変え、数千種類を同時配信。そのなかで、クリック率が高かった組み合わせのバナー広告だけを残して、次の配信で利用する。この繰り返し（最適化）を何度も行うことで、高いクリック率を獲得する。
- アドテクノロジー以前、広告は一度出稿したら、効果が低くても、そのクリエイティブを修正することはできなかった。そのため、メディアは、視聴率やクリック率が目標を下回ると、無料で追加広告枠を補償するケースもあった。

アドエクスチェンジ

アドテクノロジーの代表的なサービスの最後は、アドエクスチェンジです。

アドエクチェンジとは、広告のエクスチェンジ（Exchange）。つまり取引所のことです。**株式のように、広告を取引する**のです。出稿期間、価格などの条件を、広告を出したい会社と受けつけるメディアが出し合い、自動マッチングさせる仕組みです。今まで営業が企画書や提案書を作って取引先を廻って、広告を取ってきた仕事を機械がしています。この仕組みができたおかげで、少数の読者しかいないメディアでも広告が入るようになりました。

アドエクスチェンジの発明は、多くの関連サービスを生み出しました。たとえば、DSP（Demand Side Platform）は、アドエクチェンジを通し自動的に広告を配信する仕組みとして作られました。今までは、出稿する広告メディアを選び、そのメディアの広告枠が空いていれば広告を出すといったような作業が必要でした。DSPは広告を届けたいユーザー層を設定すれば、インターネット上から、自動でそのユーザー層を探し出し、そのユーザーが利用するサイトに広告を配信する仕組みです。ほかにDMP（Data Management Platform）という仕組みもあります。これは自社サイトに集まったユーザーの行動データやメディアの行動データを分析できるプラットフォームです。こうしたDSPやDMP、それにABテストといった仕組みもアドエクスチェンジの発展とともに利用が増えていったのです。

ちなみに、みなさんはリーマンショックをご存じでしょうか？　2008年にリーマン・ブラザーズが破綻したのをきっかけに証券市場が冷え込んだ時期がありました。そのとき職を失ったアメリカの証券業界のエンジニアたちが、自分たちの技術を広告に応用し始めたのがこのアドエクスチェンジの始まりです。

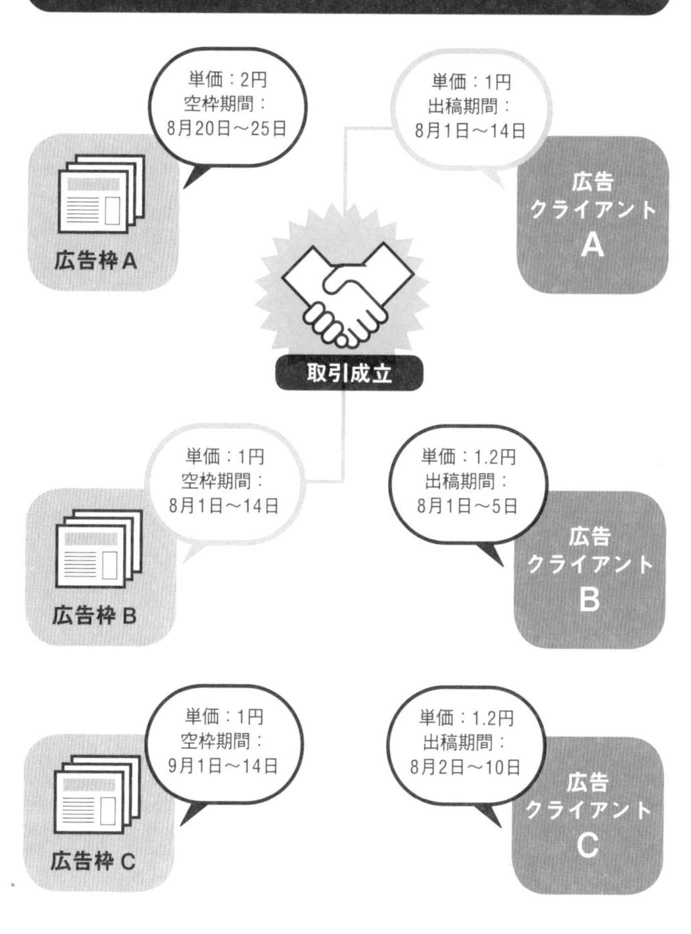

・アドエクスチェンジは、出稿したい広告クライアントと広告を販売しているメディアを期間、価格、到達リーチ数など双方の取引条件を自動マッチングさせる仕組みである。広告枠を売り歩く営業は不要である。

グーグルのアドテクノロジー

さて、ここまでアドテクノロジーの主要なサービスであるリターゲティング広告、クリエイティブの自動化（ＡＢテスト）、アドエクスチェンジについて説明してきました。

これらは、インターネットの特性であるインタラクティブ性、リアルタイム性をもとに発展してきたことも話しました。こうしたアドテクノロジーは、電通や博報堂といった大手広告会社から発展してきたわけではありません。異業種から生まれたイノベーションです。

ただ、この動きに敏感に反応し、その仕組みを整えた企業がいました。グーグルです。グーグルは、2009年から2010年にかけて、ユーザーの行動履歴データ（オーディエンスデータ）を購入しセグメントするデータプロバイダ会社や、アドエクスチェンジへの出稿などを一括管理するDSPを運用している会社など、アドテクノロジー企業を買収して、新たな広告ビジネスの基礎をいち早く固めていました。

というのも、このアドテクノロジーはグーグルのメインビジネスである検索広告とは違う領域のビジネスです。グーグルの検索広告はユーザーが検索しているそのときに広告が表示されるリアルタイム性が武器です。いっぽう、それまで主流だったバナー広告は広告の制作や出稿枠の選択など広告を出稿するまで時間がかかっていました。そのため、検索広告の出現でバナー広告は少し廃れそうでした。しかし、この**アドテクノロジーはそのバナー広告の新たなイノベーション**なのです。リアルタイム性に欠けていたバナー広告に変幻自在に違うクリエイティブを出せるサービスの基礎技術がアドテクノロジーです。

つまり、グーグルにとってアドテクノロジーを取り込むことは、さらなる広告ビジネスの拡充につながったのでしょう。また、IT業界の動きが早いことも体感できますね。

いち早いグーグルのアドテクノロジーへの進出

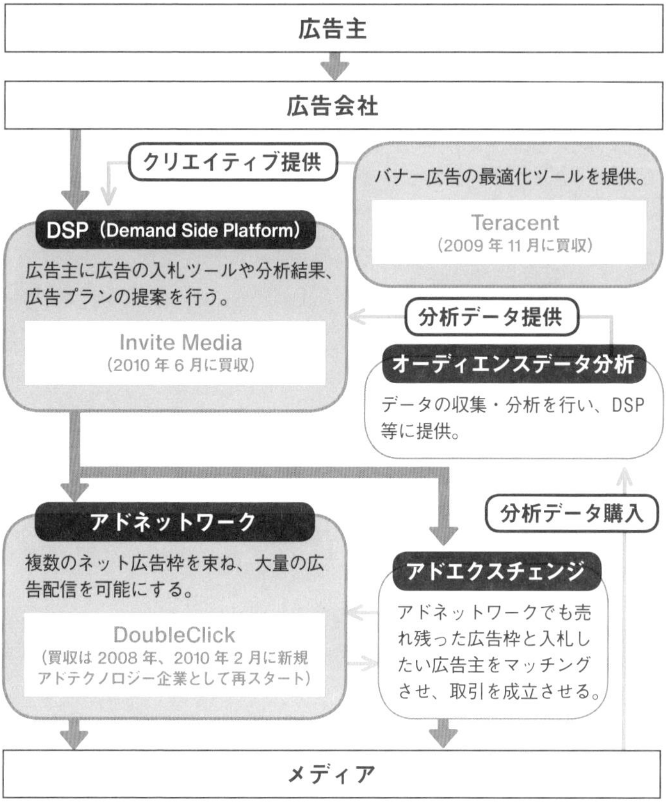

広告主

広告会社

クリエイティブ提供

バナー広告の最適化ツールを提供。

Teracent
（2009 年 11 月に買収）

DSP（Demand Side Platform）

広告主に広告の入札ツールや分析結果、広告プランの提案を行う。

Invite Media
（2010 年 6 月に買収）

分析データ提供

オーディエンスデータ分析

データの収集・分析を行い、DSP 等に提供。

分析データ購入

アドネットワーク

複数のネット広告枠を束ね、大量の広告配信を可能にする。

DoubleClick
（買収は 2008 年、2010 年 2 月に新規アドテクノロジー企業として再スタート）

アドエクスチェンジ

アドネットワークでも売れ残った広告枠と入札したい広告主をマッチングさせ、取引を成立させる。

メディア

・2009年から2010年にかけて、グーグルは行動履歴を購入、セグメントするデータプロバイダ、アドエクスチェンジへの出稿などを一括管理するDSP（Demand Side Platform）と呼ばれる業態など、アドテクノロジー企業を買収、アドテクノロジーに基づく新たな広告ビジネスの基礎をいち早く固めた。

※ 枠線内はグーグルが買収した分野と企業

変化する広告ビジネス

このアドテクノロジーを広告ビジネスという視点で見るとどうなるでしょうか？　広告ビジネスは主に代理（Agency）ビジネスで成り立ってきました。広告を出したい会社とメディアとが直接取引するのではなく、その中間で双方の利害を調整してきたのが代理店です。英語ではAd Agencyですね。

たとえば、ビルの壁や道路脇には広告看板をよく見かけます。ビルの持ち主や道路脇の土地の地主にとって、広告看板の設置はメインの仕事ではありません。いっぽう、そこに看板を立てればビジネスになると考える人もいます。それが広告代理店の起源です。代理店の収益源は手数料です。代理店が広告枠を仕入れ、自由な価格で売るわけではなく、メディアが決めた価格を代理で販売するわけですから、その価格内から手数料をもらうビジネスなわけです。

アドテクノロジーは、そんな長い間続けられたビジネスモデルも変えようとしています。さきに見たように、アドテクロジーの一つアドエクスチェンジはメディアと広告主を直結させます。代理業が成り立ちません。

また、アドテクノロジーは、誰もがメディアで情報発信できる環境で、大量に生まれるスモールメディアをマネタイズする仕組みです。誰もがメディアを作れるのであれば、メディアを作ってそれを売るという今まで培ってきた代理店のノウハウがそれほど活かされません。

つまり、**アドテクノロジーは、広告代理店の役割を変化**させているのです。メディアを売買して手数料をもらう仕組みから、広告全体の戦略を提案してその料金（フィー：fee）をもらうビジネスに転換する必要があるのです。今まで広告代理店と呼ばれていた会社は今広告会社と自らを呼んでいます。その背景には、こうしたビジネスの変化があるのです。

インターネット広告を含む旧来の広告取引		アドテクノロジーを取り入れた新たな広告取引	
広告クライアント	広告の投資効率(ROI:広告投下予算に対し、どれだけの購買、認知があったか)を高めるよう、メディアを選択、出稿。	広告クライアント	メディアの広告枠を買うのではなく、代理店が提供するユーザーの行動分析に基づき、ターゲットユーザーに直接広告を配信。
広告会社	広告クライアントに対し広告メディアのプランニング、広告制作を受託。	広告会社	メディアの選択、制作の自動化ツールを広告クライアントに提供。
広告メディア	高品質のコンテンツを制作、購買力のあるユーザーを集めることで、広告単価をあげる。自社メディアの広告枠を広告クライアントに販売。	広告メディア	広告メディアだけでなく、ECサイト、動画コミュニティなどユーザーデータベースを保持している企業が、自社サイトの訪問履歴、サイト内の行動履歴データを広告会社と共有。
ユーザー		ユーザー	ブラウザの行動履歴に合わせた関連情報が広告として配信される。

・アドテクノロジーの勃興で、広告会社の役割が変化した。広告取引の手数料ビジネスから広告戦略立案をし一定のフィー(fee)をもらうビジネスに転換。

アドテクノロジーの新たな動き

ここまで、2010年代に急速に盛り上がってきたアドテクノロジーの話をしてきました。

ここでは、そのアドテクノロジーの最新状況をお伝えしましょう。アドテクノロジーの中核サービスであるアドエクスチェンジには、大手メディアが参加したがりませんでした。なぜなら、アドエクスチェンジにはロングテールメディアも大手メディアも参加し、たくさんの広告メディア枠が売りに出されます。そのような場で自由な取引をすると供給過剰で広告を出す値段、つまりメディアが受け取るお金が下がります。今まで広告ビジネスにはメディア側の言い値がまず存在し、広告を出したい企業との個別の取引（相対取引）で値段が決まってきました。そこに**市場原理が持ち込まれたので、広告出稿の値段が下がるのです。**

そこで、広告会社では、自動出稿といった特定の大手メディアと大手広告クライアントを直接つなぎ、出稿手続きの煩雑さを省くことに機能特化したサービスが広まっています。これを「プログラマティック」サービスと呼びます。

アドエクスチェンジはオープンな取引がその根底思想にありました。プログラマティック取引は、その思想を取り払い、広告主とメディアが直接やりとりできる機能だけを取り出して提供する動きといえるでしょう。

「プログラマティック」な取引は、さらに進化しています。最近は、検索広告を出稿するときに、どんな検索ワードがいいかをレコメンドしてくれるだけでなく、最適な「コピー」もグーグルがレコメンドしてくれます。広告クライアントや広告会社がやることが、人工知能にどんどん置き換わっています。

❶アナログ時代の広告は相対取引だった

❷アドエクスチェンジで市場取引が導入された

❸大手メディアと広告主を直結させるシステム

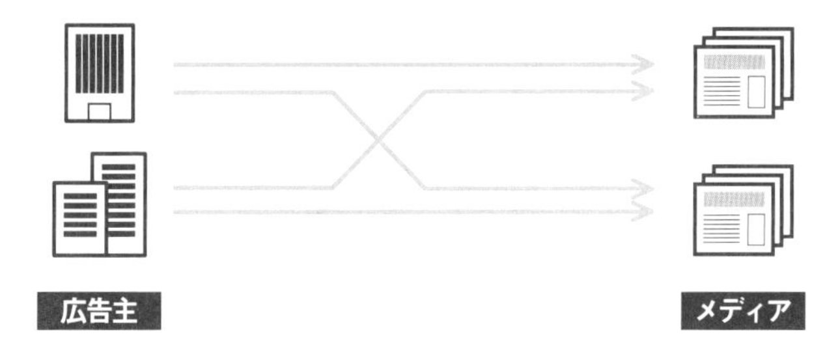

求められる、情報の共感型サービス

ここまで見てきたように、アドテクノロジーは広告ビジネスのイノベーションとして捉えられてきました。たしかに、**既存の広告ビジネスの手法を効率化**し、新たなビジネスチャンスがたくさん生まれました。

しかし、よく考えると広告を取り巻く、消費者、広告主、広告会社の関係性は以前と同じです。商品を宣伝したい企業が消費者に向けてメッセージを発信する。その**情報の方向性は変わっていません。**

こうした情報の一方向性に対し、インターネットは双方向性がその特徴でした。インターネットで調べ物をすることが増えていくにしたがい、わたしたちは、発信される情報をただ受け取るのでなく、自分から知りたい情報を求める環境に慣れてきました。そんなわたしたちにとって、企業から情報が発信され続ける仕組みは、少し違和感を持つ人も増えているでしょう。

インターネットの双方向性と広告の一方向性の矛盾。そこには、アドテクノロジーでは解決できなかった本質的な問題が横たわっています。次章では、その問題を解決する広告業界の動向について説明しましょう。

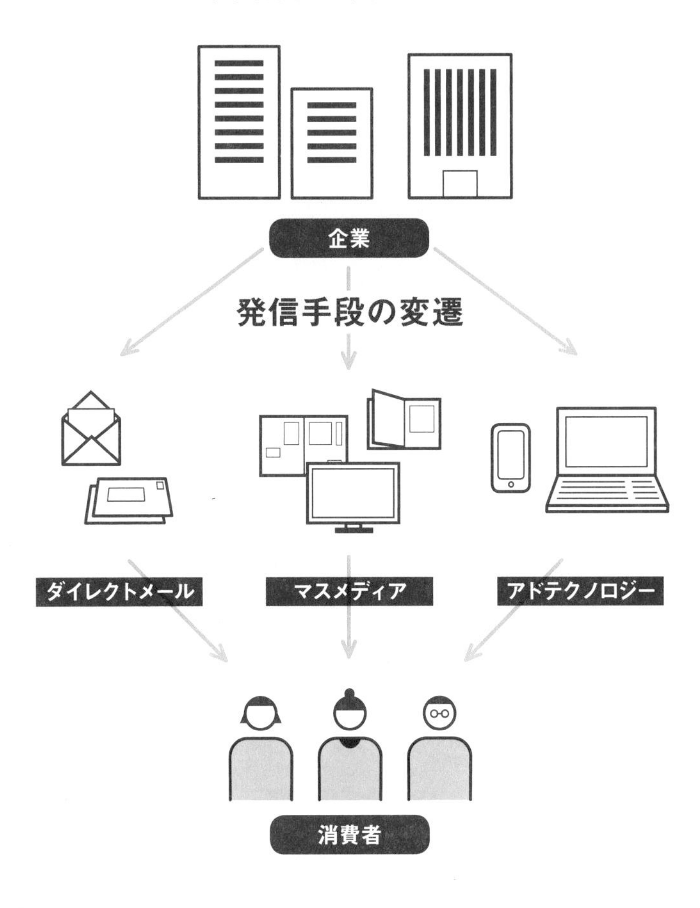

・アドテクノロジーは既存広告ビジネスを効率化したテクノロジー。マーケター（広告を出す側）とメディアの関係性は変わらなかった。

1 よく見るサイトや検索をする言葉に基づいた広告を表示する技術をアドテクノロジーと呼ぶ。

2 「10代女子」といった年齢や職業、住んでいる地域でセグメントするのではなく、何が好きか？　夏休みの予定は何か？　といった嗜好や予定で消費者をセグメントするのがアドテクノロジーである。

3 アドテクノロジーによって広告は効率性や精確さを増したが、企業と消費者の関係は変わっていない。

第5章

文系の役割が増えているIT業界の仕事

5-1 ソーシャルメディアの発展
5-2 自社サイトをメディア化する広告主
5-3 メディアのビジネス的な役割
5-4 コンテンツマーケティングってなんだろう？

ソーシャルメディアの発展

2007年頃からツイッターやフェイスブックといったソーシャルメディアが大きく成長します。今までのメディアがプロの記者やクリエイターが発信した情報を掲載していたのと違って、ソーシャルメディアは、一般の素人が発信した情報をみんなで楽しむものでした。

発信する人も、ほかの人の情報を共有することができるのもその特徴です。つまり、情報の発信者と受信者が融合する、まさにインターネットの双方向性を活かしたメディアなのです。

そこで、この成長する**ソーシャルメディアを企業が広告発信の場に使う**という動きが出てきました。企業がソーシャルメディアに公式アカウントを作り、消費者と直接コミュニケーションすることが可能となりました。とくに、飲料やトイレタリーといった一般消費財を開発・販売するメーカーにとって、日常のコミュニケーションで消費者にブランド名を記憶してもらえるのでとても便利です。

たとえば米国のP&Gのフェイスブックページは500万件以上の「いいね！」が押されています。つまりP&Gはこれだけ多くの消費者に直接話しかけることができるのです。ほかにも、日本企業ではシャープやキングジムなど独特の言い回しで人気のアカウントがあります。これは、今までメディアに広告を掲載することで間接的に消費者とコミュニケーションを取ってきた企業にとっては大きな変化です。その変化によって、企業がソーシャルメディア上で発信するコンテンツを代行で制作するといった新たなビジネスも生まれています。

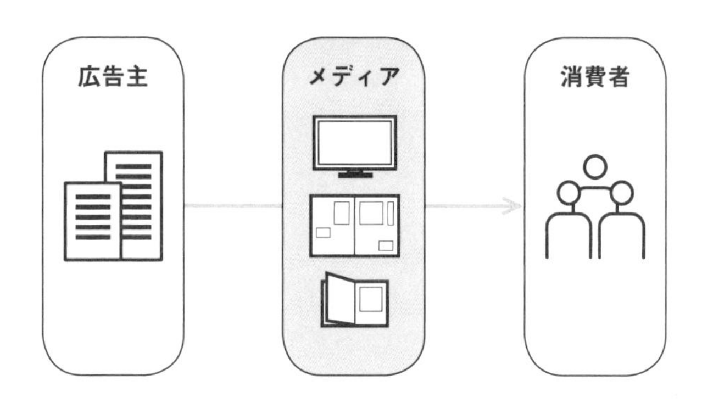

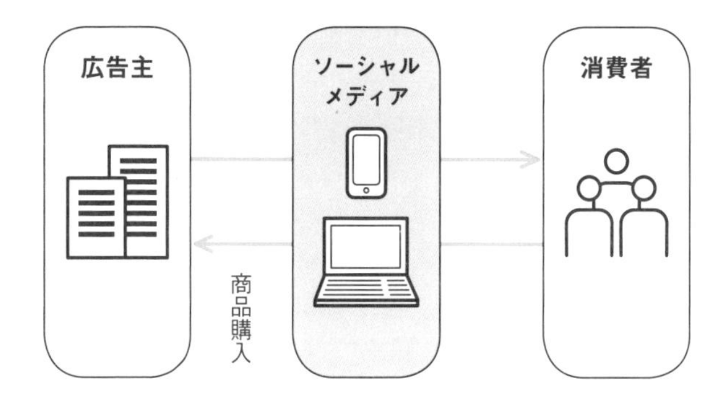

・企業の発信する情報を流通させるメディアとして、ソーシャルメディアが新たに注目された。

自社サイトを メディア化する広告主

ソーシャルメディアが成長するとともに、企業がアプリを制作しソーシャルメディアのユーザーと直接コミュニケーションを取ることが増えてきます。そうすると、そのアプリで展開しているコンテンツを自社のホームページに掲載する企業も多くなります。また自社のホームページを自らの情報発信の場として積極的に活用する大手企業も出てきました。インターネットを利用するときに、検索することが当たり前になった現在、誰もが名前を思い浮かべる会社や商品名を持っている企業は、とくに広告を出さなくても自然と自社のページに消費者を誘導できます。ですから、広告を出す以外に、自分たちのホームページの内容をもっと魅力的にする企業が増えています。たとえば、日本コカ・コーラ社のホームページは、自社商品の宣伝だけでなく著名人のインタビューやリゾートの訪問記が掲載されています。

また、ソーシャルメディア上に公式アカウントを作って配信するのは無料です。これは大きな変化ですね。今まで、企業が消費者に自社商品を宣伝しようと思ったら、メディアに広告を出す以外の手法はありませんでした。さらに、ソーシャルメディアでは消費者の反応を直接集めることができます。こうした消費者の行動データを直接、広告主の企業が集められるようになったのも今までと違う大きな変化です。

こうした自社ホームページを自社で「所有している＝own」という意味で、オウンドメディア（Owned Media）と呼びます。それに対し、雑誌や新聞などのメディアを、彼らに広告費を「支払って＝pay」情報掲載しているという意味で、ペイドメディア（Paid Media）と呼びます。

このオウンドメディアとペイドメディア、さらにプレスリリースなどを配信するアーンドメディア、そしてシェアードメディアの4つのメディアをうまく組み合わせて情報発信をしていく**PESO戦略**が企業のマーケティング活動において重要になっています。

PESO戦略

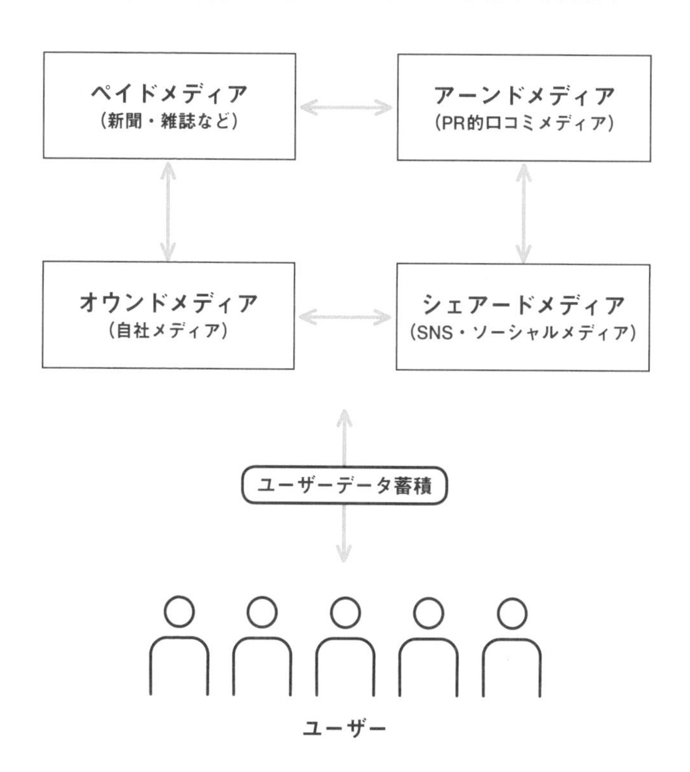

- ブランド力の強い大手企業は、自社サイトで収集した顧客データで販促活動を強化。
- 広告プロモーションとして、PESO戦略が重要となっている。
- PESO戦略とは、①**ペイドメディア（広告メディア）**、②**オウンドメディア（自社メディア）**、③**アーンドメディア（Earned media：PR的クチコミメディア）**、④**シェアードメディア（SNS・ソーシャルメディア）**の4メディアで消費者との接点を図る戦略。

メディアのビジネス的な役割

　こうしたPESO戦略とともに、広告を大きく変えているのが、消費者の動向データをもとに情報発信する仕組みです。

　今まで、メディアはそのコンテンツの種類によって、特定のターゲット層を集めていました。つまり、サッカー誌であればサッカーファンが、写真週刊誌は中高年男性が読者でしょう。広告クライアントは、メディアの先にいるターゲット層を考えながら情報発信していたわけです。

　しかし、ソーシャルメディアだけでなく、楽天やアマゾン、ヤフーなどさまざまなサービスの会員登録がインターネット上で行われることによって、消費者の足跡がそのような企業側に残されていきます。その足跡を辿れば、ネットショピングを展開している企業は、誰がどんな商品を好んで買っているのかがわかります。会員登録をしていれば、その人がどこに住んでいてどんな属性を持っているのかがわかるのです。つまり、今までメディアしか知らなかった消費者のデータをメーカーやお店が把握できることになります。

　PESO戦略によって、広告を出す側の企業が自社メディアでの情報発信を始めました。**次に、ネットショッピングなどのサービス企業が今までのメディアの担ってきた消費者との架け橋になる役割を担い始めています。**

　とても画期的な変化ですが、一つ問題点があります。それは、メディアのパワーが衰えたら、ニュース記事やテレビ番組などの**コンテンツ制作の機能を誰が担うのか**という点です。コンテンツの制作には、取材、撮影、編集など時間と手間がかかります。メディアはその費用を広告費という形で企業からもらうことで賄ってきました。広告クライアントは、資金はありますが、コンテンツ制作のノウハウはありません。では誰が作るのか？　そこにビジネスチャンスがあります。インターネットはメディアと広告主、そしてコンテンツ制作と広告といった関係性までも変えてしまっているのです。

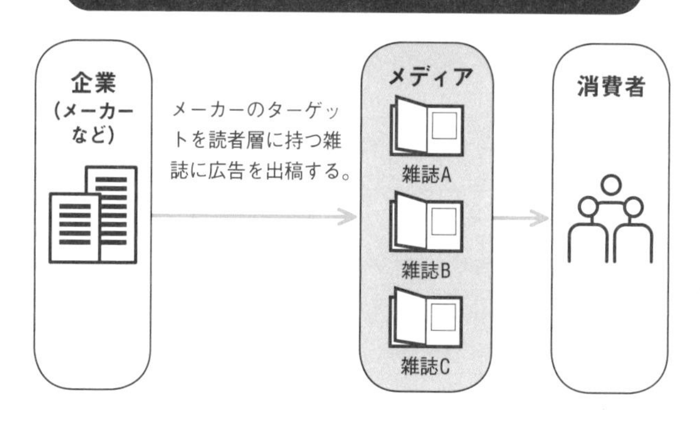

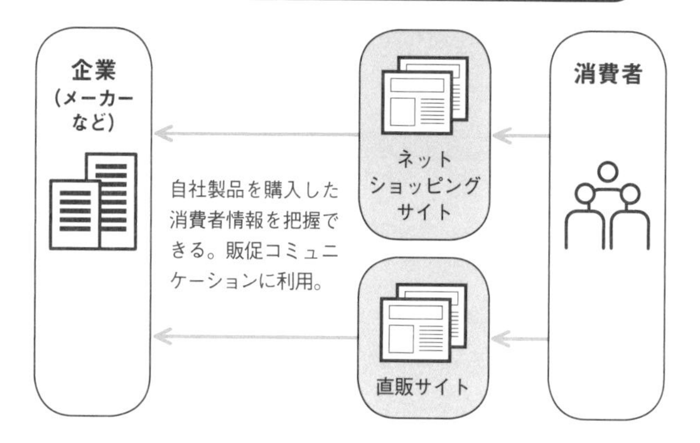

・個人のデータを集め、企業や第三者に販売する「情報銀行」というサービスの実証実験も始まっている。

コンテンツマーケティングってなんだろう？

企業がコンテンツを制作しプロモーションすることで消費者とコミュニケーションするマーケティング手法を、**コンテンツマーケティング**と呼びます。

コンテンツマーケティングで制作される動画やアプリ（コンテンツ）は、感動や驚きを誘って、自然とそのブランドを好きになってもらうことを目的にしたものが多くなっています。つまり、企業から消費者に一方向に情報発信するのでなく、企業メッセージを受け入れてくれた消費者と会話していくのです。

コンテンツマーケティングは海外の広告主から始まりました。たとえば、欧州や米国でビジネスを展開しているモバイル通信会社のT-Mobile社は、2009年にロンドンの駅構内で突然ダンサーが踊りだすという動画をYouTube上で公開しています。その動画は今までに4000万回以上視聴されています。面白いコンテンツを制作し、視聴してもらうことで、会社を好きになってもらう作戦なのです。

考えてみれば、こうした手法は昔からありました。たとえば航空会社は機内誌を制作しています。観光地の記事などを読むとその場所に思わず行きたくなってしまいます。

今までインターネット広告は、企業が情報発信し（プッシュする）、消費者が受け手であるプッシュ型のプロモーション戦略が普通でした。ところが、**コンテンツマーケティングでは、消費者が共感とともにアクションを起こします。企業から見れば、消費者を引き込む感覚、つまりプッシュというよりもプル（Pull：引く）するイメージ**でしょうか。

前章でアドテクノロジーは広告業界にとってイノベーションだったが、企業と消費者の関係は変えなかったと説明しました。しかし、**コンテンツマーケティングでは、消費者が企業を選ぶような関係**に変わっています。それこそが、一番重要な点なのです。

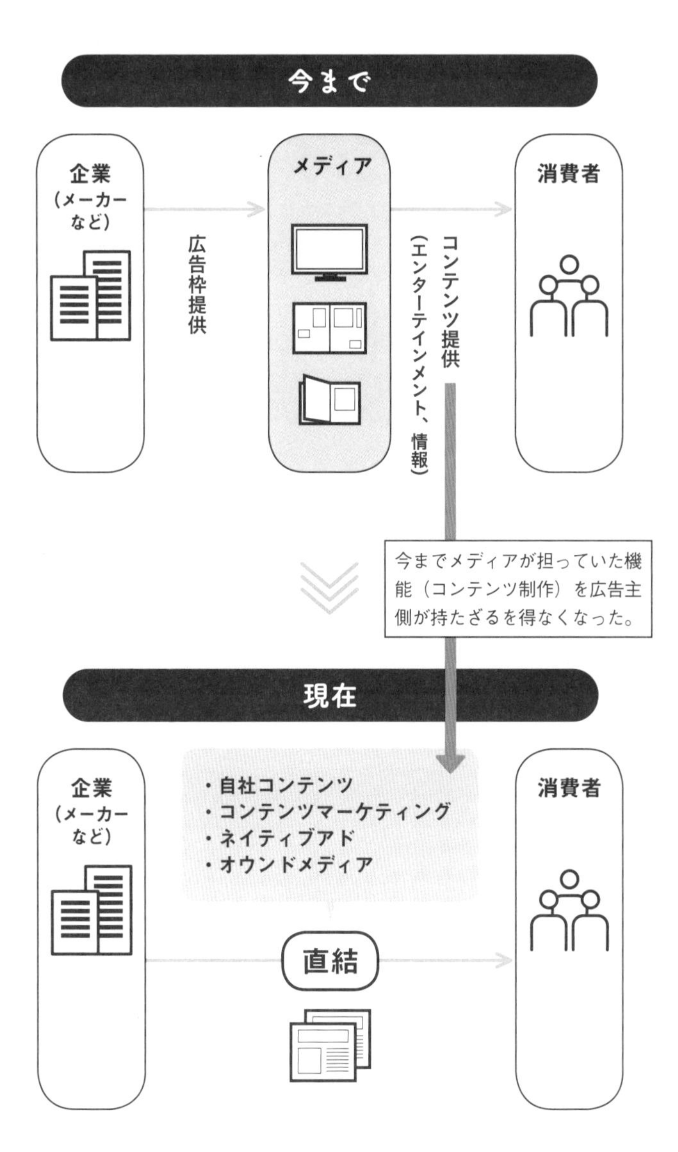
今まで
企業
(メーカーなど)
広告枠提供
メディア
コンテンツ提供
(エンターテインメント、情報)
消費者
今までメディアが担っていた機能(コンテンツ制作)を広告主側が持たざるを得なくなった。
現在
企業
(メーカーなど)
・自社コンテンツ
・コンテンツマーケティング
・ネイティブアド
・オウンドメディア
直結
消費者

1. 2010年頃から、ソーシャルメディアを使った消費者とのコミュニケーション手法として、アプリを開発、運用するビジネスが勃興した。

2. そのアプリに集まるユーザデータの重要性に気づいたブランド力のある大手企業は、次第に自社メディアの充実を図った。

3. それが、アーンドメディア（PR的口コミメディア）と、オウンドメディア（自社メディア）、ペイドメディア（広告メディア）、シェアードメディア（SNS・ソーシャルメディア）の4つのメディアを組み合わせるPESO戦略である。

4. こうしたメディアへの広告枠出稿を減らす潮流は、メディアの収益力を低減させた。

5. 広告クライアントが自分でコンテンツを制作、流通させるコンテンツマーケティングという考え方が生まれている。

第6章

知っておこう！最先端のIT知識「モノのインターネット」

6-1 ソーシャルメディアの弱点とは？
6-2 IoTってなんだろう？
6-3 IoTで変わる日常生活
6-4 人工知能
6-5 フェイクニュース
6-6 5G
6-7 フィンテック
6-8 VR
6-9 CtoC
6-10 ブロックチェーン

ソーシャルメディアの弱点とは？

第5章でソーシャルメディアの発達で誰もが情報発信したり、企業がコンテンツを作ったりする動きを説明してきました。スマートフォンなどの発信ツールを誰もが手にする環境では大量の情報がインターネット上に発信されます。また、大量に発信されるため安価になった情報を自動で集めるソーシャルメディアが生まれました。

今どこにいるのかといった場所や、誰となにをしているのかといった情報を消費者が大量にソーシャルメディアに投稿します。食べログや価格.comなどはそうした消費者の活動を利用して運営されています。また、消費者がどこにいるのかリアルタイムで把握できるのですから、その近くのお店など場所を特定した広告も出せますね。

ただ、ソーシャルメディアには一つだけ弱点があります。それは、人間は気ままという点です。新聞社やテレビ局は記者や制作ディレクターを社員として雇っています。ニュース記事を書いたり、番組を作ったりするのは社員としてのいわば義務です。今日はやる気が出ないから仕事しないというわけにはいきません。しかし、消費者がレストランの写真をソーシャルメディアに投稿するかどうかは気分次第ですね。つまり、**ソーシャルメディアの弱点は、情報発信するモチベーションが下がると新たな情報が集まらない**点にあります。コンテンツの供給力が安定しないのです。ソーシャルメディア黎明期、マイスペースというサービスがあり、フェイスブックよりも多い会員がいました。マイスペースは自作の音楽を公開するソーシャルメディアでした。しかし、消費者にとって音楽よりも自分の何気ない日常を発信するほうが簡単だったのでしょう。フェイスブックに発信の場を取られてしまいました。コンテンツを制作するのが社員ではなく一般ユーザーであるため、より簡単な発信の場を用意するソーシャルメディアが成長していくのです。

ソーシャルメディア

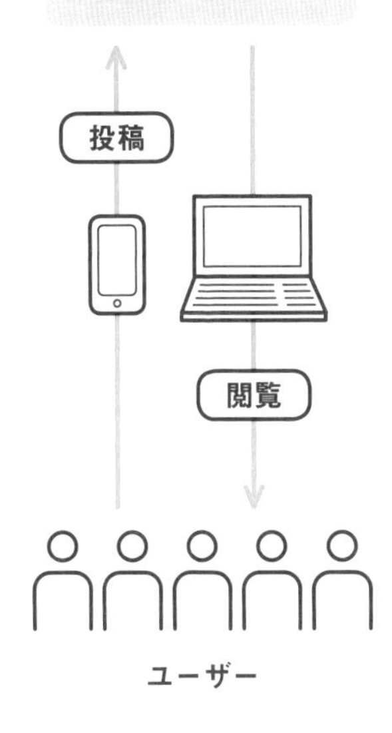

新聞社

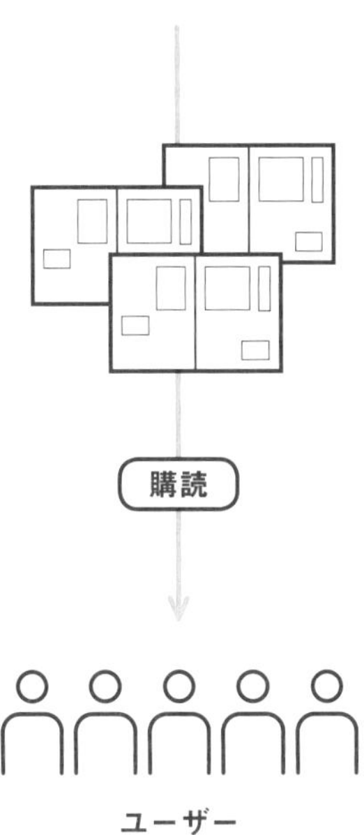

・ソーシャルメディアのコンテンツを作っているのは、ユーザー自身である。
・ソーシャルメディアの運営側は、ユーザーにコンテンツ投稿を強要することはできない。
・つまり、ユーザーが飽きてしまえば、ソーシャルメディアにコンテンツがなくなってしまう。

IoTってなんだろう？

ソーシャルメディアの弱点は、情報発信する消費者のモチベーションでした。その弱点を補う方法があります。それは**情報発信を機械にやらせる**ことです。

機械が情報発信と聞くと、なんだか馴染みがないかもしれません。しかし、天気情報や渋滞情報など人間を介さずに発信されている情報は今でもたくさんあります。ただこうした情報の集約は人間がやっている場合もあります。たとえば、ある場所の気温や湿度を人間が確認し、そのデータをインターネットで発信する。こうした仕組みは今でも可能です。

それを機械がやるとどうなるのでしょうか？　今デジタル業界で**IoT(Internet of Things)**という概念が話題になっています。モノのインターネットと訳すこともありますが、これこそまさに機械が情報を取り、配信するというサービス概念です。いったいどういうものなのでしょうか？

IoTが注目され始めたきっかけは、安価なセンサーが広まったことです。センサーとは、気温などの自然状況や渋滞情報などリアルな出来事を把握する機械のことです。このセンサーが安くなったことで、いろいろな場所にセンサーをバラまけるようになりました。

たとえば、安価で小さな天気センサーを消費者が購入し自宅に設置するとします。すると、そのセンサーが気温や湿度、降雨量、日照時間などのデータを24時間リアルタイムで取得します。このデータを集めれば、まずリアルタイムで今雨がどこでどれくらい降っているのかが把握できます。

さらに、そのセンサー情報をテレビにつなげたらどうでしょう。寒い日は熱帯の旅番組を録画したなかから選んで流してくれたり、雨の日は爽やかな映画を見せてくれるなんてサービスができるようになります。

つまり、ソーシャルメディアのように友人がオススメを教えてくれなくても、センサーが休むことなく選んでくれるのです。

ソーシャルメディア

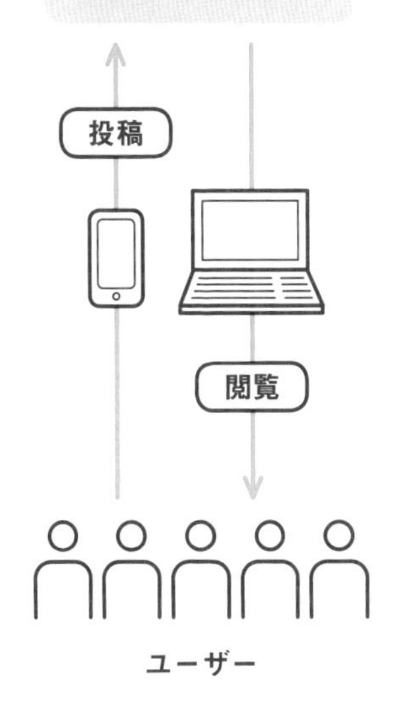

IoT

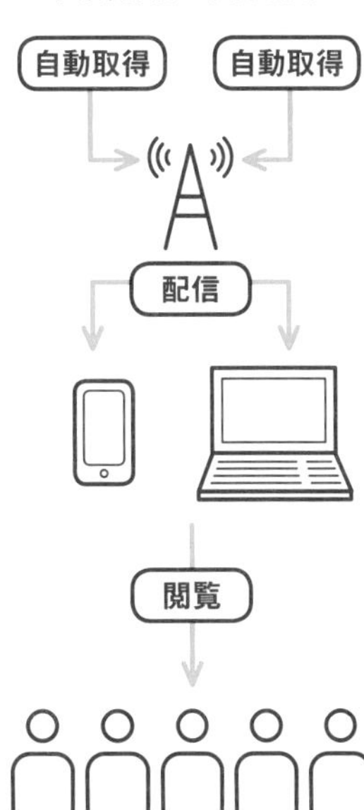

・センサーが天気や渋滞などの情報を24時間自動で取得する。
・その情報を適宜加工してユーザーに届ける。

IoTで変わる日常生活

IoTはモノのインターネットと呼ばれています。今まで人間がやっていた情報発信を機械がするので、モノのインターネットと呼ばれているのです。

IoTのなかで、センサーと同じく大きな役割を果たしているものにスマートフォンがあります。第1章でスマートフォンが普及したことで、インターネットやデジタルの世界が変わったことを話しました。IoTの可能性にはスマートフォンも大きく関わっています。スマートフォンの設定で位置情報をオンにしておくと、そのスマートフォンのある場所が常にわかります。また、最近はスマートフォンで音楽や映画を視聴したり、モノを買ったりするのも普通になりました。

こうしたユーザーの行動データとセンサーが取得するデータにビジネスチャンスを感じる企業が増えています。いつどこでなにを買ったかとその場所の気温や天気のデータを合わせて分析すれば、気温と購買活動の関係がわかります。そうすれば、気温によってその商品の広告を配信するといったビジネスが考えられます。

ほかにも車にセンサーを搭載させるとどうでしょう。たとえば、自社のタクシーの位置情報がわかれば、呼び出したお客さんの場所と一番近いタクシーに自動的に連絡がいくなんてことが考えられます。

ほかにも**冷蔵庫にセンサーが搭載されれば、卵や肉といった食材の量を毎日記録し、適量が不足するとネットを通じて自動で注文を出す**ことも不可能ではありません。また、心拍数などカラダのデータとつながれば、体調に合わせたレシピを提案し、その食材もまた自動で注文するといったことも可能です。買い物や夕食のメニューを考えたり、専門の栄養士に相談したりしなくても、全部機械がやってくれるのがポイントです。

センサーや機械というととっつきにくいですが、これから身近な存在になりそうです。

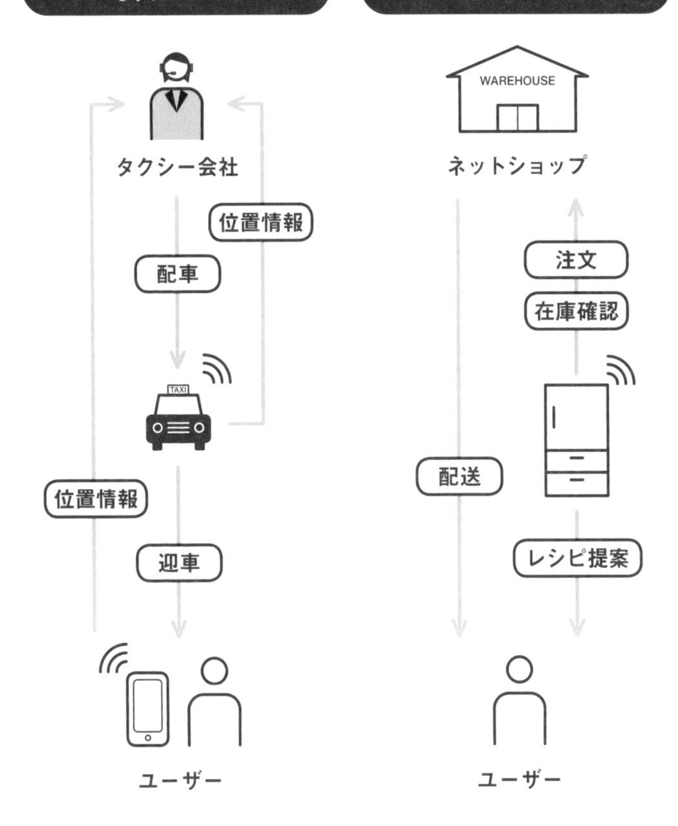

・スマートフォンとタクシーの位置情報を把握、顧客に一番近い空車のタクシーを配車する。
・冷蔵庫の在庫をセンサーが確認し、自動でネットショップに注文する。

人工知能

スマートフォンで、かな入力をすると、書きたい文字を予想して表示してくれます。また、アマゾンで買い物をすると、オススメを紹介されます。こうした機能は、人工知能が過去データを集め、あなたの行動パターンを見つけているのです。人間の脳でも同じことはできますが、機械は疲れることもないし、大量のデータを扱えます。

人工知能を使ったクリエイティブの実験もすでに始まっています。人工知能を使って小説を書いたり、音楽を作曲・演奏したり、絵を描いたりする事例はたくさんあります。オランダの研究者グループは、有名なレンブラントの作風を人工知能に学習させ、レンブラント風の新作絵画を描くことに成功しています。絵画だけではありません。音楽も過去の名作を学習し、その作風に似た楽曲を作り出すことも行われています。作家星新一風の小説を書く実験も行われています。

また、グーグルの「AutoDraw」というウェブページにアクセスすれば、自分が描いた絵を綺麗なイラストに変換してくれます。グルグル巻きの線を描くと、ホースやカタツムリなどのイラストに変換してくれるのです。

ほかにも「Prisma」というアプリは、スマートフォンで撮影した画像を、印象派やゴッホのような画風の絵に変換してくれます。自然を写生し絵にする作業は、すでにスマートフォンで可能になっているのです。

そんなことを考えると、ちょっとしたイラストなどを描く仕事はどんどん機械に置き換わっていくのではないかと思えてきます。その代わり、どのようなイラストがいいのか？　組み合わせはどうか？　といった企画力は今より重要になるでしょう。クリエイターの役割は技能よりも企画力に変わっていくのかもしれません。

人工知能とクリエイティブ

音楽

絵画

小説

シンギュラリティ：2045年には、コンピュータの性能は脳を上回るといわれている。データの読み込みや新たな作品を生み出す処理も格段に速くなる。機械が人間を超える日のことを「シンギュラリティ」と呼ぶ。一人のクリエイターには思いもつかない作品が生まれることもあり、一度に大量の作品を生み出すことが可能になる。

過去のデータを組み合わせた作品

希少な価値のある名画を楽しむのではなく、個人は人工知能が生み出した自分の作品を楽しむ。一つの名作を多数の人が楽しむのではなく、多数の作品を多数の人が楽しむことになる。

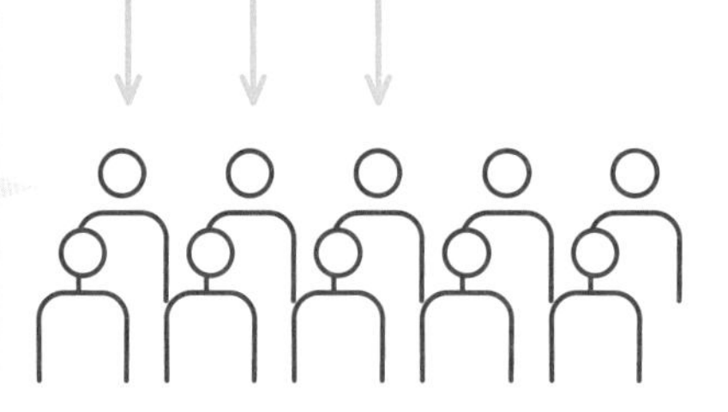

気分によって最適な作品が膨大に生み出される。

フェイクニュース

2016年のアメリカ大統領選挙時に、ニセのニュース（フェイクニュース）が大量に流され、投票行動に影響を及ぼしたということがありました。真実を報道し権力を監視するメディアが、ニセのニュースを流すことはあるのでしょうか？ よく調べてみると、こうしたフェイクニュースを流していたのは、既存のメディアではなく、普通の人がお金稼ぎのために作っていることがわかってきました。

ある報道によると、大統領選挙中に作られたフェイクニュースサイトは東欧のマケドニアの若者が運営していたそうです。動機は小遣い稼ぎです。彼らはニュースサイトでページビュー数を集め、広告売上を増やしていました。トランプ陣営に有利な記事のほうがSNSでたくさん拡散されページビューも増えたといわれています。ページビューが増えれば、それだけそのページに掲載される広告枠の売上も増えていきます。その売上がフェイクニュースサイトを運営する人たちの最終目的なのです。つまり、内容は関係ありません。

インターネットのメディアは、テレビ局や新聞社と違って高価な印刷機や放送施設のような高額な投資もなく、すぐに始められます。そのため普通の人も自分たちの意見を表明したり、面白いと思ったことを書き綴ったりできます。情報発信の面で見ると、インターネットの果たした役割はとても良かったでしょう。反面、簡単なお金稼ぎにも利用されたのです。

世界中から注目されるアメリカ大統領選挙は、インターネットメディアで稼ぎたい人にとって、格好の商材だったのでしょう。アメリカ大統領選挙は、民主党と共和党の2つの陣営で議論されます。ですから、ページビューを増やす内容の選択肢も2つしかありません。多様な選択肢があれば、ここまでフェイクニュースの隆盛もなかったかもしれません。メディア業界に進む人は、コンテンツの質とお金儲けのバランスをいつも考えるようにするべきなのでしょう。

フェイクニュースの仕組み

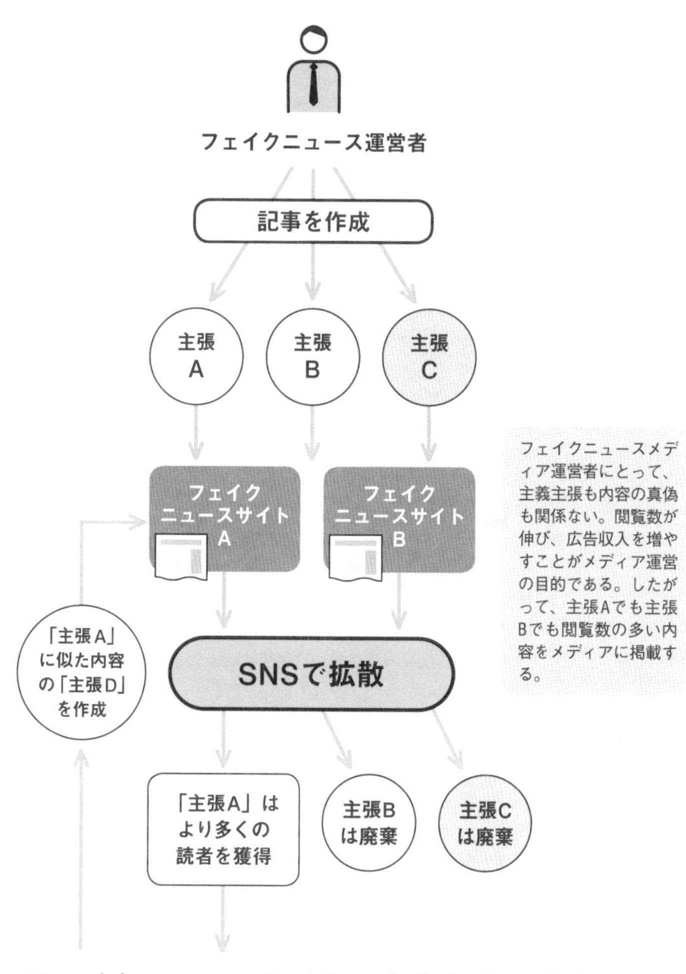

フェイクニュースメディア運営者にとって、主義主張も内容の真偽も関係ない。閲覧数が伸び、広告収入を増やすことがメディア運営の目的である。したがって、主張Aでも主張Bでも閲覧数の多い内容をメディアに掲載する。

5G

5G（第5世代移動通信システム）の普及がいよいよ始まります。日本では2020年春から、韓国やアメリカではすでにサービスが開始されています。5Gは、第5世代（Fifth Generation）という意味。3Gや4Gの次なので5Gです。5Gの次は6Gです。

みなさんの持っているスマートフォンは、基地局と呼ばれるインフラと電波をやりとりしています。そのインフラを支える電波技術は10年ぐらいで新しいものに更新されます。なので、だいたい10年で新しい世代＝Generationの電話が出てきます。

では、5Gは4Gと比べ、どこが新しくなったのでしょうか？　5Gの特徴は「低遅延、高速・大容量、同時多接続」の3つです。4Gと比べ、20倍のスピード、同時に10倍の端末が接続でき、遅延も少なくなります。

この特徴を活かして、今までと違ういろいろな利用法が考えられています。たとえば、たくさんの人が同時にアクセスしても通信速度が遅くならず安定すると、スタジアムでの映像配信が可能になります。リアルなゲームを目の前で見ながら、5Gを使ってスマートフォンに映像配信します。一つの映像しか送れない放送と違って、通信ならカメラが撮影した何種類もの映像を同時に配信できます。5Gはそれを何万人にも同時に送れるのです。ほかにも、世界中で参加可能なスマホのオンラインゲームも可能になるでしょう。

また、車の自動運転はどうでしょう。これから自動車は信号機や標識と情報のやりとりをするといわれています。遅延のある通信システムであれば、ちょっとした情報の遅れが事故につながります。そこで5Gの安定性が役立つのです。遠い山の中の工事現場にあるトラックやパワーシャベルの無人運行システムなども始まっています。これから、5Gは、交通や医療など信頼が重要なサービスに使われていくでしょう。自動運転や遠隔医療といった新しいサービスが普及するインフラとなるのです。

5Gの開始時期

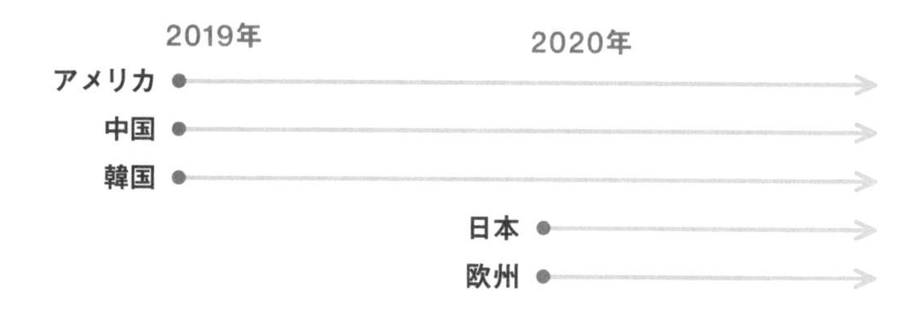

5Gの特徴

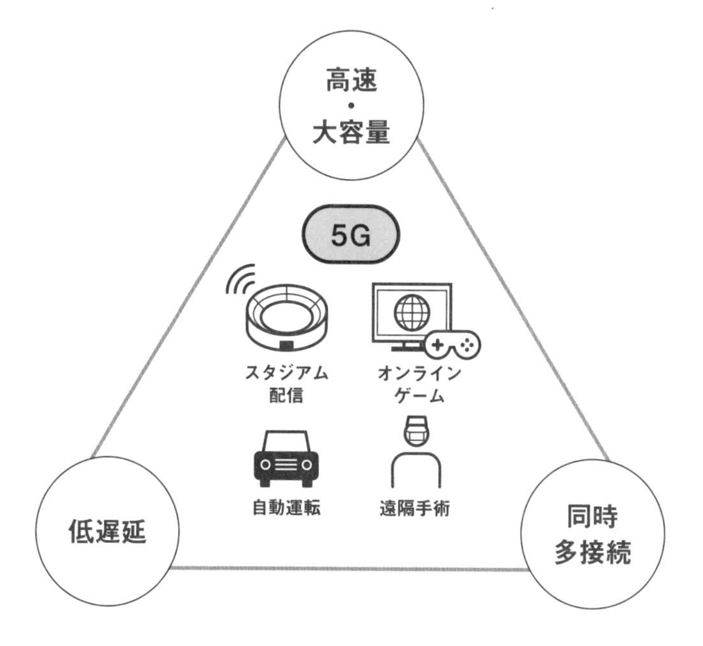

フィンテック

フィンテックとは、金融（Financial＝フィナンシャル）とテクノロジーを合わせた合成語です。フィンテックが含む範囲はとても広く、AI（人工知能）を使ったロボット投資から、スマートフォンのQRコード決済、またブロックチェーンを使った「ビットコイン」もフィンテックの一種といえるでしょう。

一般に、金融業を行う銀行や証券会社などには、国のいろいろなルールが決められ、効率的でないビジネスオペレーションが多いものです。お金を引き出そうとして、営業時間外だったり…。振込手数料も結構高いですよね。

銀行しかないと、現金以外でお金をやりとりするのに苦労します。今は「LINE PAY」でお金を送れば、リアルタイムに送金できます。また、手数料もかかりません。「LINE PAY」に貯まっているお金を現金で引き出すには手数料がかかりますが、商品を買うときに使う分には、手数料はかかりません。

これは、「決済」機能をIT企業が提供し始めたからです。つまり、スマートフォンのQRコード決済を使えるお店が広まるほど、「LINE PAY」などに貯まったお金は、紙幣などに替えることなく、使われていきます。今まで、銀行やクレジットカード会社でしか扱えなかった「決済」機能を金融業とは関係なかったIT企業がテクノロジーを使って行っています。これが「フィンテック」です。

どんな人も生活している上で、お金を払ったり、もらったりする行為は必要ですよね。消費者との接点を 「タッチポイント」と呼びますが、「決済」はタッチポイントのなかでも、企業にとって情報の宝庫といえるでしょう。決済行為の記録を通して、誰がいつどこでなにを買ったのか？　がわかるのですから。LINEやヤフーが「PayPay」を広めているのは、決済情報をマーケティングに活かそうとしているからです。フィンテックが注目されているのは、そんな側面もあるのです。

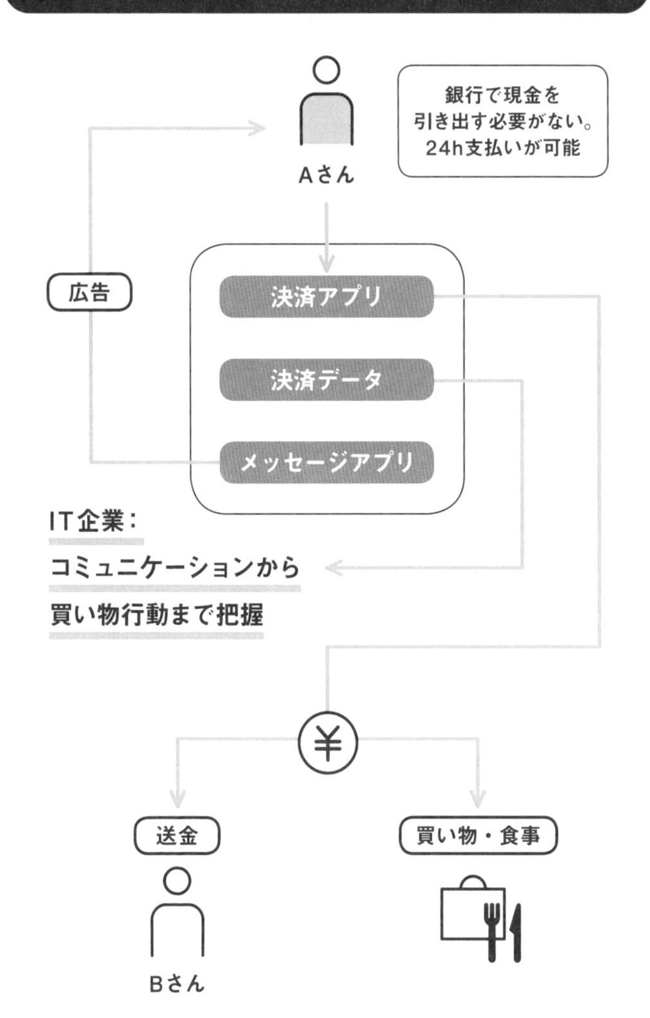
フィンテックの仕組み
銀行で現金を
引き出す必要がない。
24h支払いが可能
Aさん
広告
決済アプリ
決済データ
メッセージアプリ
IT企業：
コミュニケーションから
買い物行動まで把握
¥
送金
買い物・食事
Bさん

VR

VR（Virtual Reality、仮想現実）技術で作られた映像は、見ている人に、その空間に入っているような錯覚を与えます。テレビのスクリーンに映し出される映像を見ているときは、そのテレビに自分は入ってはいけません。スクリーンに映っている人物の後ろ姿を見ようと思っても、その人の後ろには回り込めません。VR映像はそれを可能にします。

たとえば、ライブコンサートをVRで撮影すれば、自分がステージの上にいるアングルも楽しめます。自分の横にアーティストがいたり、ステージから観客席を見ることもできます。漫才のツッコミを横で感じたり、満員のお客さんがドっと笑っている様子を舞台から体験できます。

こうした映像体験を「のめり込む＝没入感（Immersive）」と呼んでいます。とくにゲームをVRで作れば、宇宙空間に漂うスペースクラフトを操縦しながら、前後左右から敵機が飛び出してきたり、緊迫感のある体験ができるでしょう。見ている人を引き込めれば、何回も見てくれることが期待できます。

VRはエンターテインメント以外にもいろいろな利用シーンがあります。現実に見えている風景を背景に、VR映像を組み合わせるサービスをAR（拡張現実＝Augmented Reality）と呼びます。アメリカの飛行機メーカーボーイング社は、組み立て工場にARを導入しています。工員は、マニュアルが映るARグラスをかけながら、組み立て作業をします。作業の順序やネジの位置など複雑で覚えきれない作業が、実際の風景とともにARとして映し出されるので、間違いが減ります。

ほかにも、ARグラスをかけながら街を歩くとき、道順や道路標識がARとして表示されたら、ペンキで路上に書いたり標識を立てる必要がなくなります。エンターテインメントだけでなく、仕事の効率化や社会インフラのコストが減るといった効果があるVR。今後はますますいろいろなシーンで使われていくでしょう。

VRとARの特徴

	VR	AR
特徴	没入感	リアルな光景へ情報付加
利用シーン	・VR映画 ・ゲーム ・テーマパークアトラクション ・手術練習 ・パイロット練習	・組み立て工場 ・道路標識 ・空間情報

VR内の映像を変えれば狭いスペースでもテーマパークが開ける。

ARグラスは仕事の効率化に貢献できる。

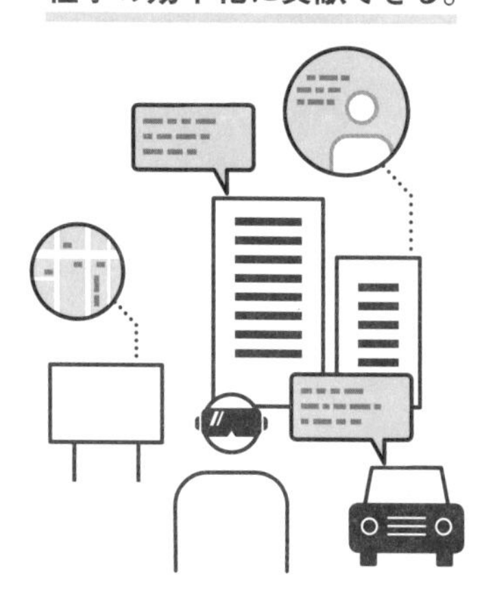

CtoC

「CtoC」とは、Customer to Customerの略です。「Customer（カスタマー）」は消費者、ユーザーなので、「個人間取引」と呼ばれることもあります。「メルカリ」や「ラクマ」などのフリマアプリは典型的な「CtoC」ですね。個人が不要なモノを持ち寄るバザーやフリマ（フリーマーケット＝蚤の市）のスマホ版です。

モノだけでなく、空いた時間になにかを手伝うとか、使っていない部屋を貸し出すといったサービスを扱うアプリもあります。個人の車をタクシー代わりに使う「ウーバー」、使わない部屋をホテルのように使える「Airbnb」などの名前を聞いたことがある人は多いでしょう。

CtoCサービスのイノベーションは、2点に集約されます。第一に、個人の空き時間など今まで商品として扱われなかったものに価値を見出し、売買を成立させています。銀行は日々の生活で使わなくてもいい余りのお金を集めて、それが必要な人に貸し出しています。CtoCサービスは、銀行と同じことを、人々の時間や空間を集めて行っているのです。

第二に、人々の小さなニーズを見つけてマッチングさせていることです。CtoCサービスのプラットフォームには、大量の商品が出品されています。特定の場所や時間にクルマが来てほしいというニーズとその時間に近くにいるドライバーを素早くマッチングさせる。こうした小さなニーズを集めるには、コストがかかりました。インターネットに個人が自由に掲載する形にすれば、情報がどんどん更新されていきます。

ニーズを見つけてビジネス化するのは企業の役割でしたが、インターネットなどの技術が進み、それを個人で行える時代です。CtoCのプラットフォームがニーズと供給のマッチングを的確に行うことで、個人でもビジネスが可能になります。その結果、就職したり、毎日オフィスに行くといった今まで当たり前だった働き方を変えていく可能性があります。

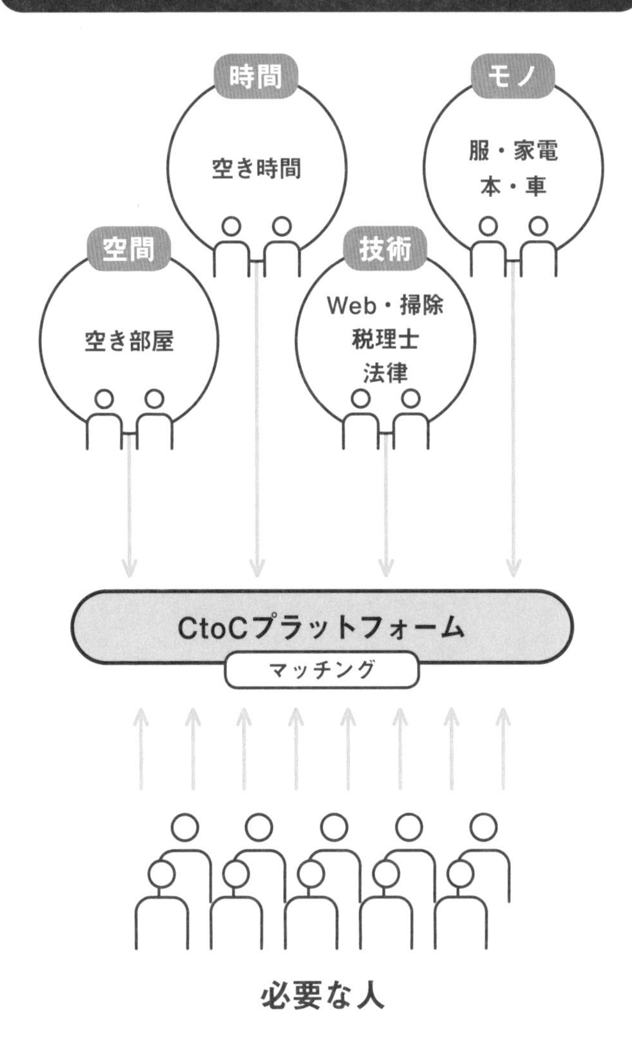
CtoCの仕組み
時間
空き時間
モノ
服・家電
本・車
空間
空き部屋
技術
Web・掃除
税理士
法律
CtoCプラットフォーム
マッチング
必要な人

ブロックチェーン

ブロックチェーンは、インターネット上のサービスを支えることができる仕組みです。たとえば、コンテンツの著作権管理。ブロックチェーンを使えば、誰が制作し、販売され、所有されているか？というコンテンツ販売に関わる取引が自動で記録されます。

ほかにも、みなさんが口にする食べ物。生産者から消費者まで誰が作って、どこに、いつ届けられたのか？　その管理をブロックチェーンで行う取り組みもあります。

ブロックチェーンをお金に応用しているのが、ビットコインなどの仮想通貨です。ビットコインは、世界中の取引を記帳、更新しています。台帳を更新した人には、新たにビットコインが配られます。その報酬（トークン）がコミュニティを継続させるモチベーションとなります。

ブロックチェーンの特徴はこの全員記録、承認という透明性にあります。インターネットでつながった世界中の人が、記録の承認を行う。とても民主的であり、不正ができない仕組みです。中国ではインターネット裁判所の証拠に用いられています。これから、お金や食品など、人々の生活に密着したサービスの管理への利用が期待されています。

6-9で説明した「CtoC」は、個人間でモノやサービスをやりとりする仕組みでした。CtoCの取引台帳をそのサービスに参加している全員で記録、承認すれば、マーケットを提供する企業に手数料を払わなくてもよくなります。商品の購買記録や支払いを全員で管理するのです。

つまり、誰かが中心になってサービスのクオリティを保ったりする必要がありません。これを「非中央集権」的な管理と呼びます。サービスの中心に誰かが存在する「中央集権」的な管理・運営から脱したインターネットサービスを支える仕組み。ブロックチェーンはそれを可能にする仕組みとして注目されているのです。

ブロックチェーンの仕組み

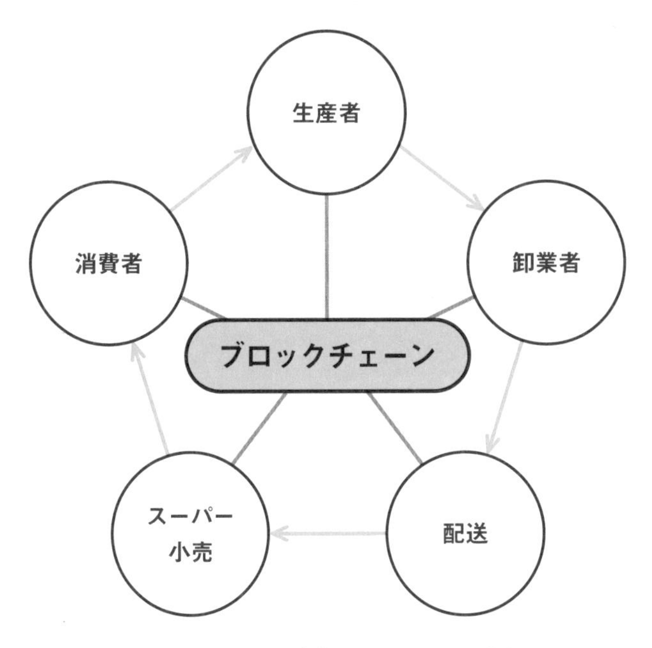

お互い記録・承認し合うため、不正ができない。

利用シーン	概要
食品	生産者から消費者まで食品が移動するたびに記録
お金	ビットコインなどカレンシーが使われるたびに所有者全員で記録
コンテンツ	コンテンツの所有者が変わるたびに記録・共有

1

ソーシャルメディアはユーザーがコンテンツを作っている。そのため、ユーザーの投稿意欲が減ると、活性化しなくなってしまう。

2

IoT（Internet of Things）はモノのインターネットと呼ばれ、あらゆるモノがインターネットにつながり情報を自動でやりとりする。

3

安価で小型のセンサーが開発され普及している。そのセンサーを使い、天気や渋滞情報などを24時間収集することが可能になった。いわば、機械がコンテンツを作る時代になった。

第7章

よく知ろう！ IT業界の会社選び

7-1 IT業界をグループ分けしてみよう
7-2 たくさんチャンスのあるIT企業
7-3 企業のITビジネス進出
7-4 アマゾン
7-5 グーグル
7-6 アップル
7-7 ヤフー
7-8 サイバーエージェント
7-9 楽天

IT業界をグループ分けしてみよう

ITに興味があっても、IT業界にはたくさん会社があって、最初はどれがいいかわからないでしょう。第7章では、IT業界の代表的な企業の歴史と現状を紹介します。

まずIT業界の会社を似たようなビジネスをしているもの同士でまとめてみましょう。思いつく会社を小さな紙にどんどん書き出し、似ている会社同士をグルーピングしてみます。

この本ではIT業界を、10個のグループにまとめてみました。もちろん10個でなくても構いません。自分のまとめ方でいいのです。

さて、それではまとめた図をジーっと眺めて、それぞれの関係を考えてみましょう。みなさんが似ていると感じた会社のグループを**「レイヤ（層）」**と呼びます。新聞社がヤフーに記事を提供したり、アップルと通信会社がiPhone販売のために提携したり、そのグループと違うグループはそれぞれ自分たちの商品やサービスを提供し合っています。つまり、お互いのグループが一つの部署となって巨大なIT業界という会社を運用しているようにも見えます。

専門家がビジネス分析をするときはこのレイヤごとに動向を調べます。レイヤ内の企業比較、レイヤ同士の比較などで、未来を予測します。お互いの関係は対等ですが、ビジネスの現場では、お金を払って買う立場の企業か、世界にそこしか作れない商品を持っている会社の立場は強いといったこともあります。違うグループの会社が同じようなビジネスをしていたり、グループに収まりきらないことも出てきていますね。そんなときに、レイヤという枠組みを覚えておくと便利です。通常企業はレイヤを越えたビジネスをしませんが、グループ分けに収まらないビジネスを始めたときに、レイヤ分類を把握していれば新たなライバルは誰なのかといったイメージがわき、将来像が描きやすいのです。まずは個々の木ではなく森全体を見ていきましょう。

コンテンツ

- **コンテンツ**
  - テレビ局
  - 新聞社
  - 出版社
  - 映画会社
  - ゲーム会社
  - タレント事務所
  - レコード会社
  - 広告制作会社
  - 印刷会社

メディア・プラットフォーム

- **メッセージアプリ・経済・EC**
  - ヤフー
  - アマゾン
  - 楽天
  - LINE
- **ソーシャル**
  - グーグル
  - フェイスブック
  - ツイッター
- **広告**
  - 広告会社
  - レップ
  - アドテクノロジー
- **動画配信プラットフォーム**
  - Netflix
  - hulu

機器・ソフトウェア

- **テレビ**
  - 家電メーカー
- **スマートフォン**
  - アップル
  - ファーウェイ
- **制作ツール**
  - アドビ

ネットワークインフラ

- **インフラ**
  - 通信会社
  - ケーブルテレビ
- **ネットワーク**
  - 動画配信システム提供

たくさん チャンスのあるIT企業

第1章でアップルは機器メーカーでありながら、iTunesのようなコンテンツ流通のビジネスも運営していると説明しました。グーグルはインターネット広告が経営の礎ですが、Android OSや電動自動車でモノ作りにも携わっています。たいていの会社は主要なビジネスに特化し、レイヤを越えたビジネスはしませんが、**IT企業の多くはいろいろなビジネス分野に進出**しています。

たとえば、アマゾンは、誰もが知っているネットショッピングで創業しましたが、現在は、KindleやFire TVといったハード機器を製造・販売するメーカーでもあります。グーグルがモノ作りに関わるのは自らの広告ビジネスを伸ばすためだと説明しました。アマゾンも同じです。自分たちのコンテンツビジネスを成長させるために機器を開発・販売しているのです。グーグルやアマゾンはインターネットを利用してビジネスする企業ですが、デジタルのハード機器市場ではアップルと競合しています。

米国のIT企業ほどではないですが、日本のIT企業も新たなビジネス領域に果敢に進出しています。ヤフーは広告メディア事業だけでなくショッピングやスマートフォン決済事業を開始していますし、楽天はショッピングだけでなく金融事業や携帯電話事業を始めたり、スポーツチームに投資したりしています。また、サイバーエージェントは常に3年先を見込んで新しいサービス開発をしているように見受けられます。

この章では、こうした日米のIT企業のビジネス変遷を説明します。その変遷を理解すると、それぞれのIT企業のメインビジネスとこれからの方向性が理解できると思います。また、こうしたIT業界を代表する会社は、これからもいろいろなビジネスをしていく可能性があります。ですから、**もしそうした会社に就職しても、いろいろな仕事の選択肢があります。それに、新卒時に就職しなくても、将来その企業が自分の専門分野に進出する**かもしれません。それから転職しても遅くはありません。

生き残るために
いろいろな分野に挑戦するIT企業

レイヤ＼企業	アップル	グーグル
メディア・プラットフォーム	iTunes、AppStore	検索、GooglePlay
機器	iPhone、iPad、AppleWatch	GooglePixel Androidフォン
ネットワークインフラ・スマートシティ		GoogleFiber（グーグルのインターネット回線提供サービス）

・アップルは機器メーカーであり、プラットフォーム事業者でもある。
・グーグルは検索ビジネスの会社であり、機器開発会社でもある。

企業のITビジネス進出

前節でも話したように、IT企業が行っているビジネスは、いろいろな分野に広がっています。ある企業を「ECの会社だ」とか「ハード機器の会社だ」とはいえないくらいです。そして、それは、IT企業以外にもいえます。クルマのメーカーが不動産開発をしたり、コンサルティング会社が、広告会社やIT企業のようなウェブ開発からマーケティング提案をしたりしています。この企業のライバルはどこなのか？　異業種の企業がライバルだったりします。

その意外な企業は同じことをやっているということですから、会社に入ったあとも、自分に興味のある職種や仕事があるはずです。ですから、これから就職や転職をする人にとって、自分に興味のある分野にカテゴライズされない企業でも、調べてみるとやりたい仕事が見つかるかもしれません。

最近、大手のコンサルティング会社は、IT系の広告会社を買収しています。人々の生活にインターネットやスマートフォンがこれだけ普及すると、サービスを提供する企業にも、リアルとネットという垣根は取り払われていくのでしょう。すでに、みなさんの多くは、ネットで集めたポイントを使って、リアルな店舗で買い物をする。そんなことを普通にしていると思います。企業も自分の分野にこだわっていないで、トータルなサービスを提供する必要があります。

ほかにも、トヨタは、静岡県に「スマートシティ」を新たに建設するそうです。ドローンが飛んだり、MaaS（Mobility as a Service）と呼ばれる無人自動運転の車が街を巡ったり、最新鋭のIT技術が使われるでしょう。

ユーザーにサービスや商品を使ってもらう機会を「タッチポイント」と呼びます。このタッチポイントをいかに増やすか？　スマートフォンの普及で、これからますますわたしたちの生活行動は、ネットとリアルの境界がなくなってくるでしょう。ですから、非IT企業が「タッチポイント」を増やすには、ITを含めていろいろなビジネスに乗り出さないといけないのです。

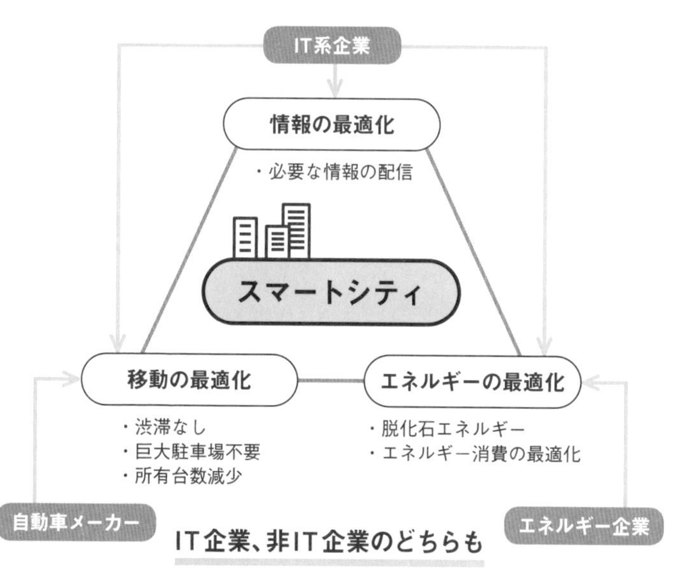

IT企業、非IT企業のどちらも
ビジネス領域を広げている（＝タッチポイントの増加）。

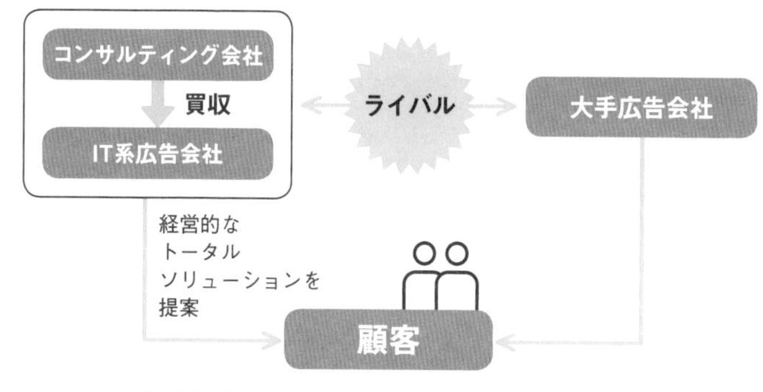

IT系広告会社を吸収するコンサルティング会社は、
大手広告会社と競合する。

アマゾン

アマゾンは1995年書籍販売のネットショッピングで創業しました。その2年後に米国ナスダック市場に上場しています。創業から12年後、2007年に電子書籍リーダーのKindleを発売すると同時に、電子書籍販売のプラットフォームであるKindle Storeを開始します。プラットフォームと機器を開発・販売するのは、インターネットやデジタルテクノロジーが発達して以降の特徴です。その後は、2011年にカラー画像や動画が見られるKindle Fireや、2014年にFire TVや、スマートスピーカーのAmazon Echoが発売されています。

現在は、「バチェラー・ジャパン」などヒットシリーズがある「Prime Video」や、音楽、書籍など物販以外のコンテンツのプラットフォームも充実していますね。ほかにも、AWSというクラウドサービスもあります。これは、アマゾンの巨大なデータセンターを法人向けに活用したサービスです。今では、格安で信頼できるクラウドサービスの一つとなっています。

こうした商品ラインアップの拡充とともに、サービス展開地域も拡大し、現在はアメリカ、イギリス、フランス、日本など世界17ヶ国に進出しています。アマゾンの2020年度の売上は3,860億ドル（41.7兆円、1ドル=108円）となり、10年前と比べ10倍に増えました。売上増加にもっとも貢献しているのは、アメリカ含めた北米市場です。北米市場の売上は、2020年7-9月期で全体の61%。他の地域全て合わせても27%しかありません。また、AWSの売上は16%です。

アマゾン創業者でCEOのジェフ・ベゾス氏は、個人的に、米国の大手新聞社ワシントン・ポスト社を買収したり、宇宙ビジネスに投資をしたりしています。宇宙ビジネスはブルー・オリジン社が担っており、何度も使えるロケット開発などをしています。

ネットショップからKindleまで手がけるアマゾン

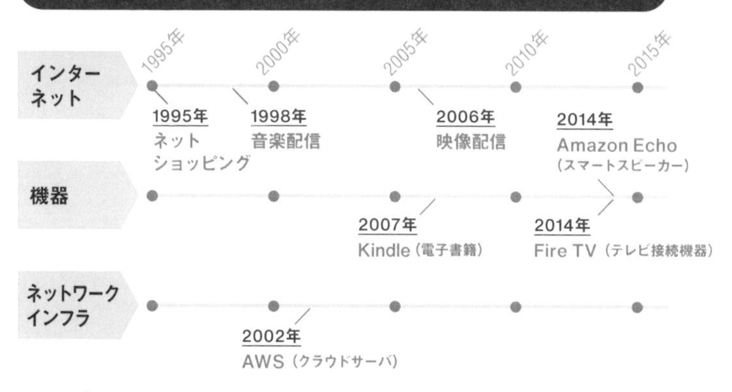

・アマゾンは書籍販売のネットショッピングで創業。現在は、機器を製造・販売するメーカーでもある。
・ほかにもグーグル、マイクロソフト、アップルも同じ事業発展の過程を経ている。

アマゾンのビジネスモデル

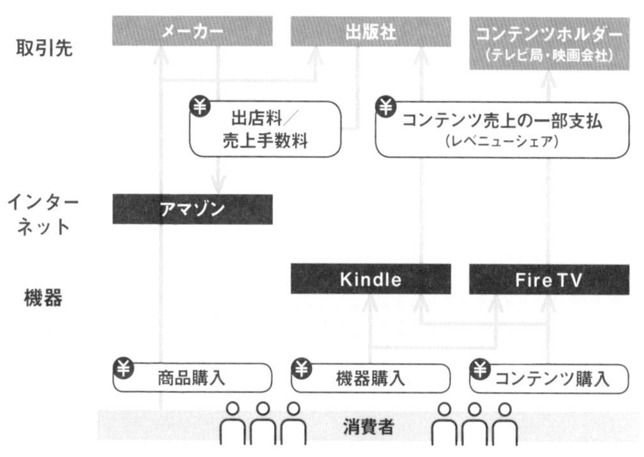

・2020年度売上3860億ドル（41.7兆円）、当期純利益213億ドル（2.3兆円）

グーグル

グーグルの検索サービスは、スタンフォード大学に在籍していたラリー・ペイジとセルゲイ・ブリンの研究プロジェクトが源流です。1998年に会社を設立、すぐにベンチャーキャピタルから出資を得ます。

2004年に米国ナスダック市場に上場したあと、YouTubeを16.5億ドル（1,980億円、1ドル=120円換算）で、またモバイル向けOSを開発していたAndroid社などを買収します。最初のAndroidフォンは、iPhoneの発売から1年遅れ、2008年に米国で発売されました。その後Androidフォンは、どのメーカーでも利用できるため、格安なスマートフォンとして世界中で一気にシェアが広がりました。

その後、2012年映画や音楽などのコンテンツやアプリを販売するGoogle Playを開始します。さらに、スマートスピーカー「Google Home」で家電分野にも進出しました。ほかにも、電気自動車やカナダのモントリオール市と提携してスマートシティの企画・開発もしています。スマートシティでは、自動運転の電気自動車が街の移動を担い、駐車場や渋滞がなくなるのではと期待されています。こうした社会インフラにも積極的に進出しているのがグーグルの特徴です。

2015年10月にグーグルは持株会社Alphabetを設立し、今までのグーグル社はその傘下企業となりました。といっても、Alphabetの売上の99%は今までと同じグーグルがあげたものです。2020年度のAlphabetの売上は1,825億ドル（19.7兆円、1ドル=108円換算）、そのうちグーグルとしての売上は1,817億ドル、さらに広告ビジネスは1,469億ドルです。

広告収益をあげるメディアを拡大するグーグル

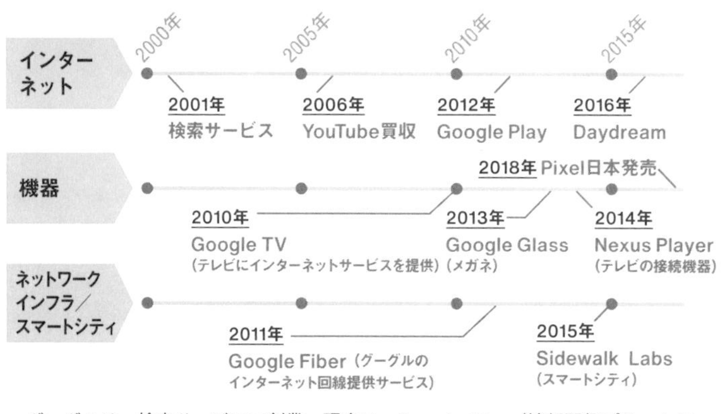

・グーグルは、検索サービスで創業。現在は、Google Play（情報配信プラットフォーム）からNexus Playerといったハード機器までを展開している。

グーグルのビジネスモデル

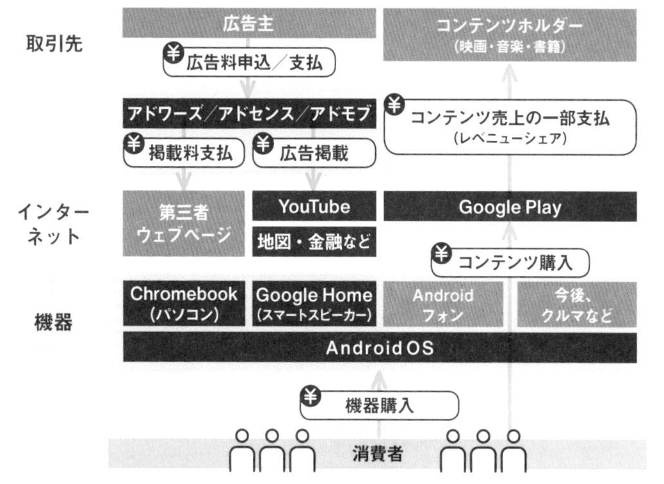

・2020年度売上1817億ドル（19.6兆円）、当期純利益403億ドル（4.4兆円）

アップル

アップルは、アマゾンやグーグルなどのインターネットでビジネスを始めた企業よりも、歴史の古い会社です。創業者のスティーブ・ジョブズとスティーブ・ウォズニアックは1975年にオリジナルのパソコン「AppleⅠ」を開発、販売しています。1977年に発売した「AppleⅡ」が大ヒットし、1980年に上場しています。

そして、2001年iPodを発売、2003年にはiTunesを開始します。現在のアップルの成功は、このあたりから始まっています。iTunesはCDなどパッケージソフトからファイル形式で音楽を聴くようになった消費者動向を的確に把握し、アップルがそのニーズに応えた製品でした。

その後2007年にiPhoneを発売します。iモードなどケータイ上でコンテンツを楽しむ日本人にとってはそれほどの衝撃ではありませんでしたが、当時の米国のケータイ事情は日本よりも数年遅れていました。そこに突然、パソコンのようなケータイ、スマートフォンが発売されたのですから、iPhoneは爆発的に売れ、今でもアップル社の収益の屋台骨になっています。

このように、Appleは一貫してデジタル製品を開発、販売するメーカーであり、またiTunesやアプリ販売のApp Storeも運営するプラットフォーム事業者です。最近では、映像配信サービス「Apple TV+」も始めましたね。アップルのサービスは、アップル製品でしか使えないのが特徴です。グーグルの地図サービスがiPhoneでもAndroidフォンでも使えるのと違っています。

2020年9月期の売上は2,745億ドル（30兆円、1ドル＝108円換算）で、前年から5%上昇しました。そのうちサービスの売上は全体の約20%を占めています。5年前は数%でしたので、大幅に増加しています。ちなみに、アップルの売上に占める日本市場の割合は約8%。最近は中国市場のシェアが増え、日本のシェアは減っています。

プラットフォームとハード機器が合体したビジネスモデルを展開するアップル

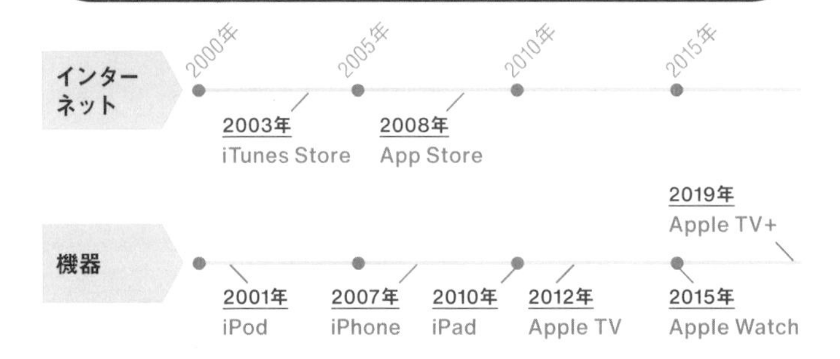

・アップルは、パソコン、音楽専用機器、スマートフォン、タブレットと専用機器からマルチユース機器に進出するとともに、コンテンツ配信プラットフォームも運営している。

アップルのビジネスモデル

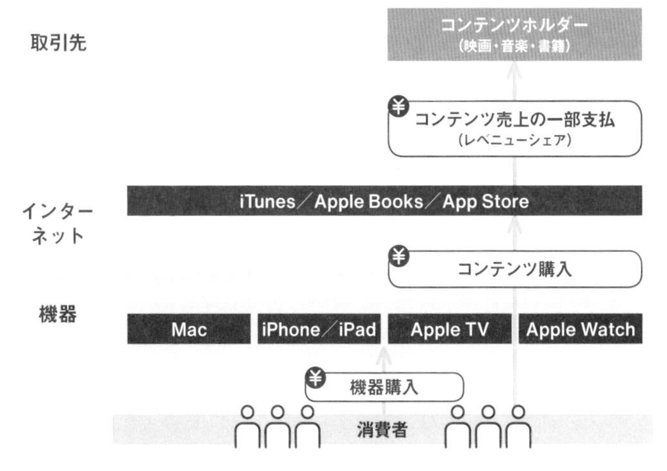

・2020年度売上2745億ドル（30兆円）、当期純利益574億ドル（6兆円）

ヤフー

もともとスタンフォード大学の学生たちが創業した米国ヤフーとソフトバンクが出資し、1996年にサービスを開始したのが、日本のヤフーです。設立1年後に上場しています。現在は「Zホールディングス」という持株会社を設立、その子会社となっています。現在は、ソフトバンクが持っていたZホールディングスの株式を汐留Zホールディングスに譲渡。Zホールディングスの株式44.1%を汐留Zホールディングスが保有しています。

2010年以降の10年間は、スマートフォンへの対応、広告ビジネス以外の収益の柱を育てるという2つがヤフーの経営課題だったといえるでしょう。

その課題解決のために、ヤフーは2019年になって大きな買収をしています。一つめは、アパレルオンラインモール「ZOZO」の買収、二つめは、「LINE」との経営統合です。「ZOZO」も「LINE」も生活に密着したサービスを提供する企業です。とくに「LINE」はスマートフォンを持っているユーザーにとって、毎日何回もアクセスするアプリでしょう。この買収・経営統合で、ヤフーは、スマートフォンを持つ若い人たちへの接触手段（タッチポイント）を手に入れたのです。

もう一つ重要な動きが、決済アプリへの進出です。みなさんも一度はお店のQRコードを撮影して「PayPay（ペイペイ）」を使ったことがあるのではないでしょうか。ペイペイを使えば、どこでなにを買っているのか？ユーザーの行動が把握できます。つまり、インターネットだけがビジネス範囲だったヤフーが、リアルな場所にも影響力を持てるのです。

それと、「Yahoo!プレミアム」サービスという有料の会員サービスも成長しています。2020年9月末現在で、2,363万人（前年同期比5.9%増加）もいます。広告収益をもとに無料でサービスを提供するというヤフーのビジネスモデルは、大きく変化しています。

2019年度の売上は1兆529億円、営業利益1522億円です。

日本のインターネット市場
最大のメディアであるヤフー

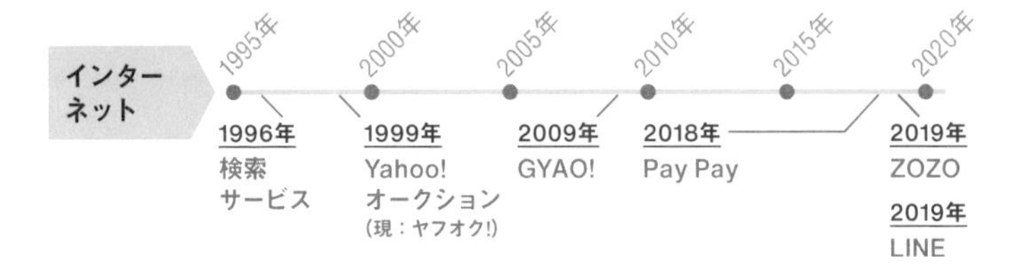

ヤフーのビジネスモデル

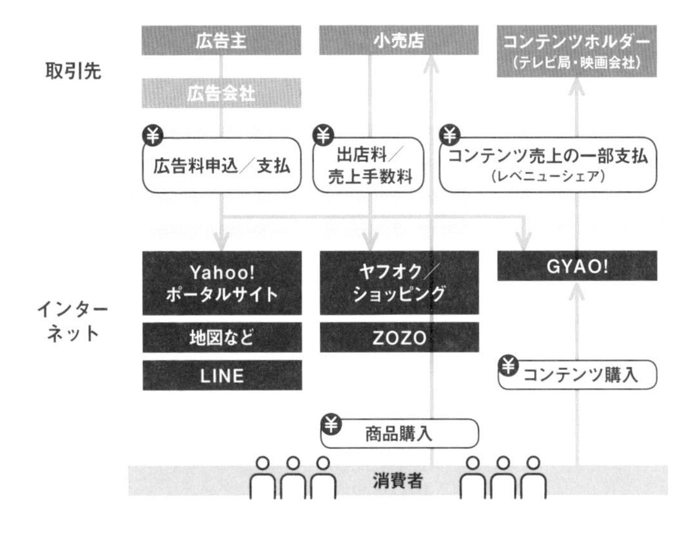

・2019年度売上1兆529億円、営業利益1522億円

サイバーエージェント

サイバーエージェントは、1998年にインターネットメディアの広告代理店として設立されました。2000年にマザーズ市場に上場しています。

2020年度の売上は4,785億円（前年比5.5%増）。ビジネスの柱は、広告事業とゲーム、そしてメディア事業の3つです。創業以来の広告ビジネスは、今でも売上の57%（2,693億円）を占めています。子会社「Cygames」が展開するゲーム事業は売上が1,558億円。また「Abema TV」などのメディア事業の売上は570億円です。ただ、メディア事業は、「Abema TV」関連の損失が182億円計上されています。「Abema TV」関連では、5年連続利益を計上していません。

サイバーエージェントが凄いところは、5年間一度も黒字になったことがないのに、投資を続けられる点です。月額課金サービス、公営ギャンブル関連サービスなど映像の周辺サービスを立ち上げ、新たなビジネスモデルを模索しています。

創業以来の彼らの歴史を見ると、環境の変化にともない、柔軟に新しいビジネスを立ち上げていることがわかります。最初、他社メディアの広告枠を販売するビジネスから始まり、次に「Ameba ブログ」など自社メディアの開発、それにスマートフォンへのシフトなど、いくつかの転機があります。ヤフーのスマートフォンからのアクセスが50%を超えたのは2015年5月ですが、サイバーエージェントが扱う広告のなかでスマートフォンの広告売上がパソコンを超えたのは、2014年1-3月期です。2015年4-6月期には、スマートフォンの広告売上はサイバーエージェントの広告売上の68%を占めています。新しい市場で収益をいち早くあげていることがわかります。

インターネットビジネスは変化が激しく、また競争相手が次々と生まれる市場です。そんな環境で生き残るには、サイバーエージェントのように3年先を予測する経営が必要でしょう。

次々と新たなビジネスモデルを投入するサイバーエージェント

サイバーエージェントのビジネスモデル

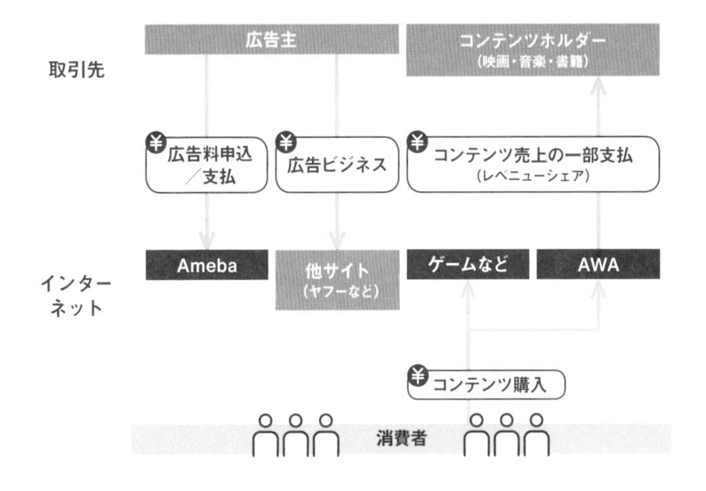

・2020年度売上4785億円、当期純利益169億円

楽天

楽天は1997年にネットショップのプラットフォームとして創業し、2000年に株式市場に上場しました。2020年度の売上は1.46兆円。前年比15.2%も増加しました。ただ、営業損益は938億円の損失となりました。これは、携帯キャリア事業の先行投資が増えたためです。楽天グループは、注力する4つのビジネス領域として、「コマース」「モバイル」「フィンテック」「広告」をあげています。なかでも、「モバイル」における携帯キャリア事業への参入は世間的にも注目されています。

いままでも、NTTドコモなどの携帯電話会社の回線を借りてビジネスを行う「楽天モバイル」(MVNO)はありました。しかし、これから楽天グループがやっていくモバイルビジネスは、自らがNTTドコモのような携帯キャリア事業者になることです。携帯キャリア事業者は、電波を送受信する基地局などインフラ設備にも投資が必要です。楽天グループは、そうした電話のネットワークインフラをクラウド化したネットワーク（完全仮想化クラウドネイティブネットワーク）で実現し、新しい電話ビジネスを追求しています。

また、フィンテックも注目です。スマホアプリ決済サービスの楽天ペイを中心に、楽天Edyや楽天ポイントカードなどの機能を一つのアプリにまとめユーザーの利便性をあげています。

現在の楽天グループの売上の約40%は金融サービスで占められています。ネットショッピングのイメージが強い楽天グループですが、経営自体は金融関連も大きな部門なのです。2005年に楽天カードの発行を開始しているほか、銀行、証券、生命保険のビジネスも行っています。「楽天ポイント」が貯まりやすいため、楽天市場で買い物をする人の中で楽天カードを利用する人も多く、相乗効果でそれぞれの利用者数を伸ばしています。同じネットショップでも初期のアマゾンは自分で書籍を売るインターネット書店でした。楽天市場はどちらかというとショッピングモールのようなイメージでしょうか。

金融事業が売上の約40%を占める楽天

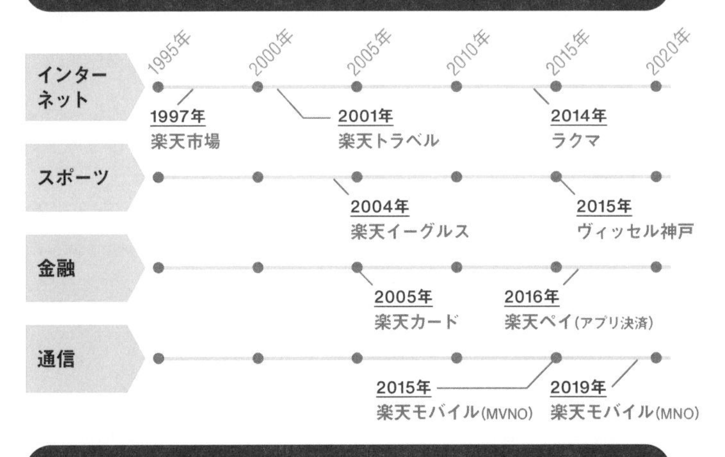

楽天のビジネスモデル

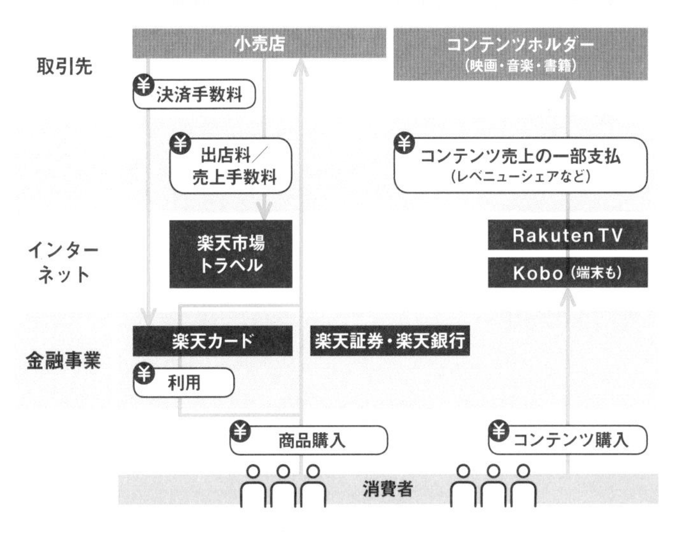

・2020年度の売上1.46兆円。当期損益は1158億円の損失

1. 同じようなイメージを持つ米国系のIT企業でも、アップルのようなメーカーとグーグル、アマゾンなどのインターネット企業では、その歴史が違う。

2. 技術の進歩や、デジタル化・クラウド化により、ビジネスの境界が曖昧になっているため、それらのIT企業は現在同じビジネス領域で競合している場合もある。

3. また、楽天のように普段受けるイメージと稼ぎ頭のビジネスが違う企業や、サイバーエージェントのように新しいビジネスに挑戦し、展開するビジネスを入れ替えてきた企業もいる。

4. つまり、自分が入った会社が5年後も同じビジネスモデルとは限らない。だから、会社に入るよりも、自分の専門を磨こう。

第8章

たくさんある IT業界の仕事を分類してみよう

8-1 インターネットのページもいろいろな仕事で成り立っている

8-2 IT業界の仕事には3つの種類がある

8-3 よく聞くカタカナ職種8つ

8-4 IT業界の職種:営業とコンサルタント

8-5 IT業界の職種:プランナーとアナリスト

8-6 IT業界の職種:制作と編集

8-7 IT業界の職種:エンジニア

8-8 チームを組んで仕事する

8-9 チームでする仕事の例:インターネット広告の仕事

8-10 チームでする仕事の例:データサイエンティストの仕事

インターネットのページも いろいろな仕事で 成り立っている

IT業界のなかでも広告やコンテンツ制作などの企業に入社してする仕事は、企業の買収や出資から、広告キャンペーンの企画・制作、さらには広告クライアントへの営業など幅広いものです。

たとえばみなさんが普段よく目にするインターネットページも、いろいろな仕事やそれに携わる人たちの活動で成り立っています。右頁の図を見てください。インターネットのページが成立するには、コンテンツ制作、広告、そしてエンジニアの仕事が必要です。それぞれどんなことをしているのか、まずコンテンツの部分から説明しましょう。

どんなコンテンツにも全体のテーマや企画を考える人がいます。時事問題や、世間の興味を引くような企画を考える人たちですね。次に、その企画に沿って、取材すべき人、する場所などをリサーチする人がいます。その後、実際にインタビューしたり、その現場に行ったりします。多くの場合は、リサーチャーと実際に現場に行く人は同じかもしれません。ページに掲載する画像や動画の撮影をするカメラマンも必要ですね。

次は広告部門です。彼らはコンテンツ企画に興味を持ちそうな広告クライアントに営業をします。広告出稿が決まるまでは時間がかかる場合も多いので、前もって広告クライアントに営業する必要があります。そのため、広告部門はコンテンツ部門と密接に連絡を取り合い、先々どんなコンテンツが制作されるかの情報を共有しています。広告出稿が決まると、どのような広告を出すか、広告クライアントに広告のクリエイティブを決めてもらいます。

最後に、コンテンツや広告が正確に表示されるために、エンジニア部門が仕事をしています。

このようにエンジニアと広告の営業、また記事を取材する記者では、同じ会社でも仕事の内容がかなり違います。**一つのコンテンツも専門性を持ったさまざまな職種で成り立っている**のがよくわかると思います。

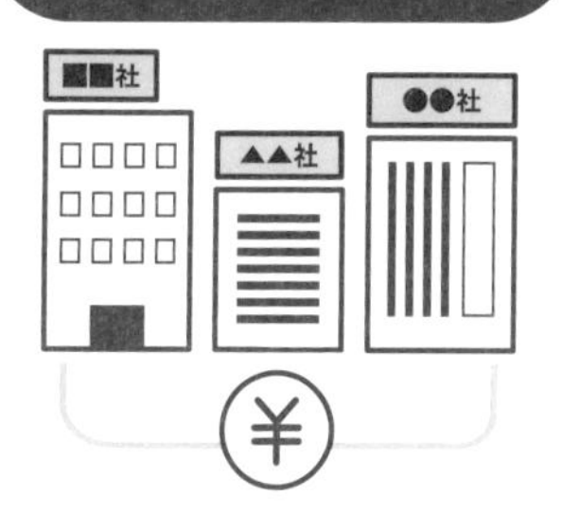

・IT業界の仕事は、企業買収・出資から、広告キャンペーンを企画制作する仕事まで幅広い。

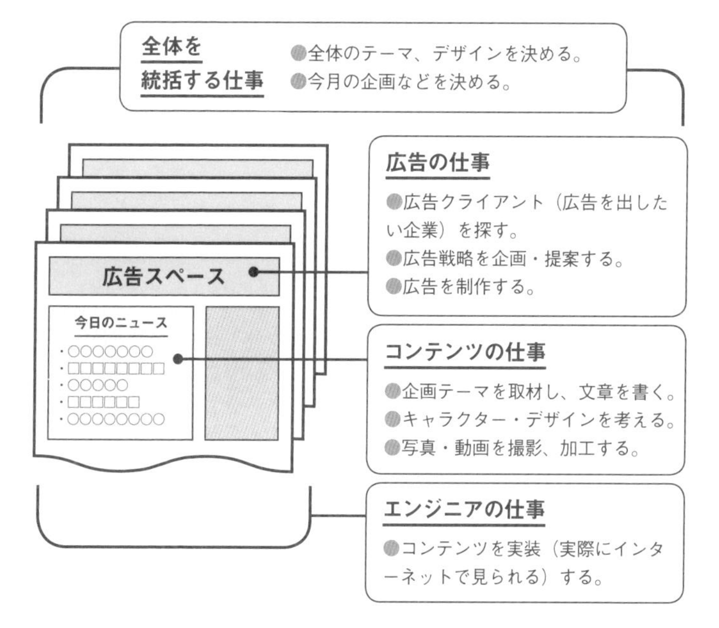

・普段目にするウェブページはいろいろな仕事で成り立っている。

IT業界の仕事には3つの種類がある

前節では、仕事をコンテンツ制作や広告企画など分野の違いで説明しました。ここでは、仕事の種類で説明してみましょう。仕事の種類といっても、なかなかイメージがつかないでしょうが、目的を同じにするチームのなかの役割と考えてみてください。サッカーと野球では、ルールは違いますが、どちらも監督がいてコーチ、選手がいます。それと同じことです。

仕事の役割は大きく3つに分けることができます。①提案する人、②企画する人、③作る人です。

提案する人は、製品やサービスを顧客に提案したり、前節で説明した通りコンテンツ企画を広告クライアントに提案するのが仕事です。会社にとっては、お金を稼ぐ人といってもいいでしょう。一般的に、営業職やコンサルタント、アナリストと呼ばれる職種は、この提案する人にあたります。

企画する人は、製品・サービスやコンテンツを企画する人です。彼らは会社のキーマンです。彼らの企画や製品が競合よりも優れていなければ、会社は成長しません。また、チームのなかの舵取り役でもあります。彼らのリーダーシップで会社が一つの方向に向いてまとまっているか、バラバラな組織なのかが決まってしまいます。経営企画や商品企画といった部署に配属される人や、メディア関連であれば、プロデューサーやディレクターと呼ばれる人たちがこの企画する人にあたります。

作る人は、実際に製品・サービスやコンテンツを作る人です。彼らの能力がなければ、いい製品は生まれません。また、締め切りや納期を守り、指定された数量を作って顧客に納めることも要求されます。企画を実際にカタチにして世の中に送り出すのがこの人たちの役目です。

もちろん実際の仕事では、企画しながら営業する人もいます。とくに**小さな会社ではいろいろな仕事を一人でやることも多いです。そして、そんな経験は次のステップアップのときに活かされる**ことも多いのです。

3つの職種

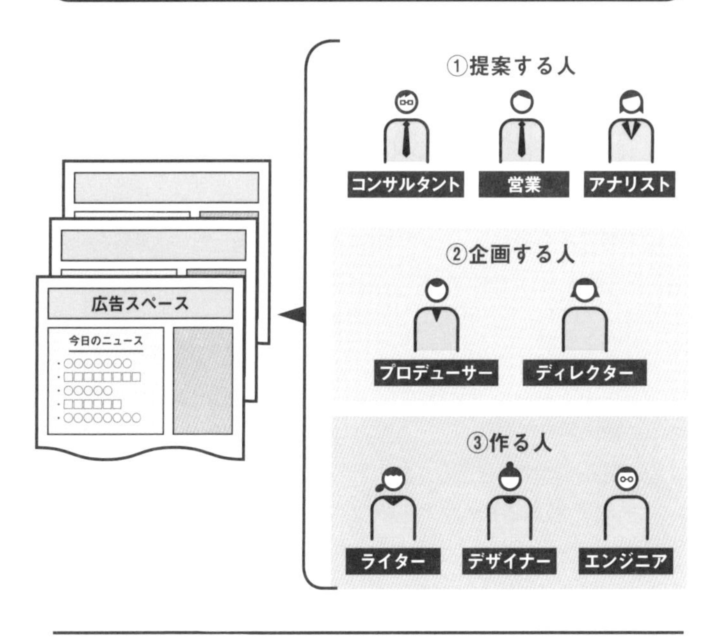

提案する人	営業	外部顧客に企画提案する人。 外部から売上を稼ぐ人。
企画する人	プロデューサー	企画を考える人。
作る人	デザイナー エンジニア	企画に基づいたデザインを 考える人。

・職種を大別すると3種類ある：①提案する人・②企画する人・③作る人。

よく聞く カタカナ職種8つ

IT業界では、英語をそのままカタカナにした職種の名前が多く見られます。長年この業界にいる人でも、次々と出てくる新しい名前に戸惑ってしまうことも事実です。

IT業界でよく聞かれるカタカナの職種は8つあります。多くの場合、この名前を苗字とすると、そこに違う名前を組み合わせて新しい名前ができています。たとえば、コンサルタントでは、ウェブコンサルタント、SEOコンサルタント、セールスコンサルタントなどなど。つまり、**ある職種名にその会社の業界や商品の名前をつけている**のです。ですから、この8つの職種に注目して、その仕事内容を把握すれば、どんな名前に出会ってもだいたい想像がつきます。

ここでは、この8つの職種を前節で説明した3つに分類してみましょう。

コンサルタント、プランナー、アナリストと呼ばれる職種は営業系の職種です。外部の顧客に向けて、自社製品・サービス、それにコンテンツ企画などを提案し、購入を働きかける職種といっていいでしょう。ドラマなどの場面に大会議室でプレゼンするシーンがありますが、ああいった場面で説明しているのは多くはこの営業系の職種の人たちです。

次に、プロデューサー、ディレクター、エディターと呼ばれる人たち。彼らは企画する人です。なかには、自分で作る場合もありますが、メインは企画して人に作らせるのが役目です。

最後にエンジニアと呼ばれる職種は、営業や制作の人にはないITの専門知識があります。彼らはプログラムを書いて、システムを作る人たちです。またデザイナーは、ウェブページなどユーザーが直接使うサービスを作る人たちです。

どうでしょうか？　8つのカタカナ職種についてなんとなく理解できましたか？

よく聞くカタカナ職種8つ

コンサルタント	プランナー	アナリスト	プロデューサー	ディレクター	エディター	デザイナー	エンジニア

提案する人 × 企画する人 × 作る人

チームを組んで仕事をしていく

・職種で使われる主な名前は8つ。
・企業や業界で「ウェブコンサルタント」「ソーシャルマーケティングコンサルタント」などと細分化される。

IT業界の職種
営業とコンサルタント

営業とはどんな仕事でしょうか？　みなさんの頭に思い浮かぶのは、ひたすら頭を下げたり、お酒を飲んで接待するイメージでしょうか。ある大会社の社長は若い頃、2週間毎日取引先の社長が出社するのを玄関で待ち構えていたそうです。わたしも同じような経験があります。取引してほしいお店に開店前に伺い、シャッターが開くと同時に挨拶をして驚かすなんてことをしていました。

企業が存続するには売上がなければなりません。そのためのお金を稼ぐ部門が営業です。通常の企業は3年や5年先までの事業計画を作ります。そして、その計画に基づき、売上目標が1年間、3カ月、1カ月、1週間、1日と細かくされていきます。営業部門はその目標を達成するための活動をしています。

ただ、そうした計画も顧客の動向や世界情勢、自然災害などで計画通りにいくとは限りません。それでも企業は計画達成のためになんとかしなければなりません。つまり、**営業部門は企業にとって一番重要な部門であると同時に、常に結果を求められる部門**です。

そんな営業職もIT業界ではカタカナの名前が氾濫しています。アカウントエグゼクティブやソーシャルメディアコンサルタントなどなど。また、コンサルタントと呼ばれる職種の多くは、外部の人と会ってなにかを提案する人ですから営業職に近いといっていいでしょう。会社目標を達成する営業職は、商品やサービスを無理強いして買ってもらうわけではありません。顧客といい関係を保ちながら、その課題を聞き出し、自社の商品やサービスを組み合わせて課題を解決する提案をしているのです。

営業系の職種

職種	業界	職業例	仕事内容	評価
営業	全て	新規開拓	開発案件の受注、広告クライアントの新規開拓、自治体案件の入札、受注など。	開拓した案件の売上
営業	広告会社	AE (Account Executive)	大手広告クライアントの専任担当。チームで担当したり、広告クライアントに常駐する場合も。	担当している広告クライアントの売上
営業	広告会社 メディア	代理店営業	自社商品を販売してくれる代理店を開拓・管理。説明会を実施し、募集する。代理店からのクレーム、セールスキャンペーンなどを企画。	開拓代理店数や担当代理店の売上
営業	広告会社	媒体開発	（広告業界）広告を出稿させてくれる媒体を開拓。	開拓した媒体数や売上
営業	ネットショップなど	小売店開発	（Eコマース業界）自社ショッピングサイトを利用してくれる小売店を開拓。	開拓した店舗数や売上
コンサルタント	SEM	SEMコンサルタント	SEM（Search Engine Marketing）：商品の検索結果が上位にくるよう調整したり、変なワードから検索されないような施策を提案する。	ランディングページ（Landing Page：検索からクリックしたとき表示されるページ）への流入数
コンサルタント	ECサイト	ECコンサルタント	EC（Electronic Commerce：ネットショッピング）で売上を伸ばす手法を提案する。	ECサイトの売上
コンサルタント	全て	経営コンサルタント	クライアント企業の経営課題を解決するために、リアルとデジタルを含めたトータルソリューションを提案する。	課題解決

IT業界の職種
プランナーとアナリスト

マーケティング系の仕事でサービスの企画をする人をよくプランナーと呼びます。プランは英語のPlanで計画や案という意味です。どんな内容にするのかといった企画自体の案だけでなく、どのメディアを選ぶのか？　時期はいつがいいのか？　といった計画を練る人です。マーケティングの仕事の場合、決まっているのは顧客から示された予算と購買や認知率といった数値目標だけです。その目標達成のためのベストな計画や案を考えるのが仕事です。

プランナーは世の中にあふれる商品やサービスの特性に詳しく、顧客の要望に合わせて組み合わせを考えられる人といえるでしょう。

たとえば、ウェブプランナーであれば、最新の動画表現のテクノロジーやウェブページのデザインの流行、色彩やフォントなどを知っていなければならないでしょう。また、広告メディアの制作であれば、広告がどの位置にあるのが、読者にネガティブな印象を持たれずに、一番クリック率があがるのか？　データや理論を知っていなければなりません。

いっけん、プランナーの仕事は自由にアイデアを出してプランを考えるように見えます。営業のように売上目標などで評価されずに、自由で楽しいイメージがあるかもしれません。しかし、自分の考えたプランについて、なぜそのアイデアなのかを社内の営業や顧客に納得のいくように説明しなければなりません。自由な反面、その責任は重い仕事です。

そして、プランナーが企画を考えるときの基礎的なデータなどを集め分析するのがアナリストです。アナリストは「analyze：分析する」という英語から派生した言葉です。データアナリスト、データサイエンティストといった職種は大量にあるデータのなかからプランナーが気づかないつながり（因果関係）などを見つけ出すことが求められます。

プランナー

職種	業界	職業例	仕事内容	評価
プランナー	マーケティング	マーケティングプランナー／コミュニケーションプランナー	マス広告やソーシャルメディア、さらにイベントなどあらゆるマーケティングツールを使ったプランを企業に提案する。	認知率の向上など
	メディア	メディアプランナー	広告の出稿媒体の選択、媒体ごとの出稿量を調整して、最大の投資効果を得られるようなプランを提案。	認知率の向上などを事後調査する
	インターネットサイト	小売店開発	インターネットページを作りたい企業に、最適なページのデザインやページ構成を提案する。	ページビュー数

アナリスト

職種	業界	仕事内容	評価
分析	データサイエンティスト	ビッグデータを分析し、消費者の新たな行動パターン、トレンドなどを発見する。	新たな発見
	データアナリスト	ビッグデータの分析から、顧客のターゲット設定やメディアプランなどの企画を立案する。	企画採用数
	トレーディングデスク	複数のアドネットワークのなかから、最適な配信手法を見出し、広告配信を行う。	広告投資効果

IT業界の職種

制作と編集

エディターは英語でEditorと書きます。日本語では編集と訳すことが多いですね。メディアのコンテンツは、記者やカメラマンが記事を作りますが、その記事を掲載するかどうかはエディターが判断しています。記者の書いた記事を修正するのもエディターの役割です。書籍を作るときもライターとエディターがいます。

エディターは内容の修正をするほか、タイトルや発売時期などを決めます。つまり、エディターの仕事は、コンテンツやクリエイティブをビジネス的に成立させることといえます。ライターはクリエイティブに集中してもらい、それをビジネス的な視点から料理するのがエディターです。

プロフェッショナルなコンテンツ制作は、こうしたクリエイターとビジネス担当が対になるようなチーム体制で行われます。ウェブや書籍だけでなく、メーカーも工場と営業とはたいてい別組織になっています。映画では監督がディレクター、予算やスケジュールを管理する人がプロデューサーです。ディレクターが作品の良し悪しに責任を持ち、プロデューサーは映画がヒットしたかに責任を持っています。クリエイターが自分の作品の金銭的価値を測るのは難しいことです。ですから、コンテンツビジネスではこうした分業制になっています。

デザイナーはディレクターの指示に従いコンテンツを作る人です。イラストやページのイメージを作る人。文字を担当するライターの絵やイラスト版といっていいかもしれません。

エディターとライター、プロデューサーとディレクター、ディレクターとデザイナーの違いはクリエイティブとビジネスという仕事の担当の違いであり、コンテンツをビジネス化するときに必要な仕組みなのです。

制作と編集

<table>
<tr><th>内容</th><th>職種名</th><th>仕事内容</th><th>評価</th></tr>
<tr><td rowspan="4">制作</td><td>UXデザイナー／UIデザイナー</td><td>UX（User Experience）利用者目線に立ちウェブ内の文章の配置、フォント、クリックのしやすさなどを考える。</td><td rowspan="4">制作したウェブページのビュー数、賞の獲得など</td></tr>
<tr><td>ウェブプロデューサー</td><td>広告クライアントと折衝しながら、ウェブ制作の予算・スケジュール・人員管理を行う。</td></tr>
<tr><td>ウェブディレクター</td><td>ウェブ制作のクリエイティブ、スケジュールを管理。</td></tr>
<tr><td>ウェブデザイナー</td><td>ウェブページの構成（色、ロゴ、配置、内容）を考え、制作する。</td></tr>
<tr><td rowspan="2">編集</td><td>エディター</td><td>インターネットメディアの記事の企画立案、ライターの選定、依頼、文章の修正などを行う。ウェブやメルマガ、SNSなどで発信するコンテンツの企画、制作を行う。</td><td rowspan="2">制作したウェブページのビュー数、賞の獲得など</td></tr>
<tr><td>ライター</td><td>インターネットメディア向けの記事の取材、執筆を行う。</td></tr>
<tr><td>動画</td><td>動画ディレクター</td><td>動画の撮影や編集（テロップや効果音、動画タイトル）をし、動画の企画・制作を行う。</td><td>制作した動画のビュー数、賞の獲得など</td></tr>
</table>

IT業界の職種
エンジニア

IT業界のエンジニアは自治体や大手企業の大規模なシステムを作る仕事からインターネットのホームページの制作まで、その領域が広い職種です。エンジニアは、主に自分が使える開発言語、経験業界などによって専門性が決まってきます。また、第6章で説明したような「IoT（モノのインターネット）」やモバイルゲームアプリ分野のエンジニアは不足しています。

IT業界が売っているサービスや商品は、必ずエンジニアが手を動かしてプログラムを書かなければ完成しません。そういう意味で、優秀なエンジニアはどのIT企業も欲しい人材なのです。インターネットメディアを運営するある大手IT企業は、社員の3分の2がエンジニアです。外側からはエンジニアの活躍は見えにくいですが、新しいスマートフォンが出るたびに、ホームページが正しく見えるように対応したり、急な不具合が出たときの緊急対応など、社内にエンジニアを抱えることがユーザーに対して信頼性を保つ要因になっています。

こうしたエンジニアと良好な関係を保つのは、営業や企画職の人たちです。良い商品も、エンジニアが作ってくれなければ、世の中に出せません。この章でも説明しましたが、仕事はチームでするものです。しかし、いわゆる文系の企画と理系のエンジニアは、入社後はおろか学生時代から育った環境が違うので理解できないことも多々あります。「納期までには無理」といったエンジニア部門と企画部門とのスレ違いは、変化の激しいIT業界でいち早くサービスや商品を出し続けなければならない企業にとって死活問題となることもあります。また、エンジニア自身も新たな言語やOSなどが普及し、今までの経験が活かせなくなることもあります。そのため、エンジニアの知識を活かし、企画などに異動する人も多いです。エンジニアは常に変化を強いられる職種といえるでしょう。

エンジニア

内容	職種名	仕事内容	評価
エンジニア	フロントエンドエンジニア／マークアップエンジニア	ウェブデザインを実際に稼働できるように実装する。	スムーズで快適なアクセス環境の構築
	ウェブプログラマー	ウェブデザイナーやプランナーの要件定義に従い、実際にプログラムを書く。	
	ウェブアプリケーションエンジニア	ウェブのアプリケーションを開発・制作する。	
	AIエンジニア	AIサービスの開発を行う。	
	データマイニングエンジニア	データベースのなかから、データサイエンティストが求めるデータを抽出する。	
	ネットワークエンジニア	ウェブページに膨大なトラフィックが発生してもアクセスに支障のないようなネットワークの設計を行う。	
	インフラエンジニア	ウェブページに膨大なトラフィックが発生してもアクセスに支障のないようなサーバの設計を行う。	

チームを組んで仕事する

ここまで会社にはたくさんの職種があることを説明してきました。それぞれ専門性が高いゆえに職種として分類できるのですが、彼らは独立して働いているわけではありません。**どんな仕事もいろいろな職種の人たちとチームになって動きます。**

たとえば、広告提案の仕事であれば、ウェブコンサルタントとメディアプランナーが協力して取り組みます。メディアプランナーが広告クライアントにどのメディアにどれくらいの予算と期間をかけるとその広告クライアントの目標に達するかといった計画を立て、ウェブコンサルタントがその計画をもとに、広告クライアントに提案にいきます。

ほかにも、インターネット広告で重要視されるデータに基づいた広告企画の場合、ウェブアナリストとデータマイニングエンジニアと呼ばれる人が連携します。データマイニングエンジニアとは、インターネットメディアが持つユーザーの行動データを社内システムから抽出する人です。ウェブアナリストが広告クライアント企業の顧客ターゲットを想定し、そのターゲットに見合うユーザーデータを社内から抽出。それを使って広告や販促の企画を提案します。

このように、会社の仕事はそれぞれの専門能力を発揮しながら、チームでするものなのです。こうした仕事は、プロジェクトと呼ばれます。プロジェクトをするチームをプロジェクトチームと呼びます。

企業から仕事発注を営業（提案する人）が受けると、プロデューサーなど企画する人がその仕事に最適な人材（作る人）を社内から選びます。通常会社の組織は、同じ職種の人が固まっています。営業部であれば営業系の仕事をする人、デザイン部であればデザイナーがその部署に所属します。しかし、日常はさまざまなプロジェクトチームに属し、ほかの部署の人たちと連絡を取り合うことが多いのです。

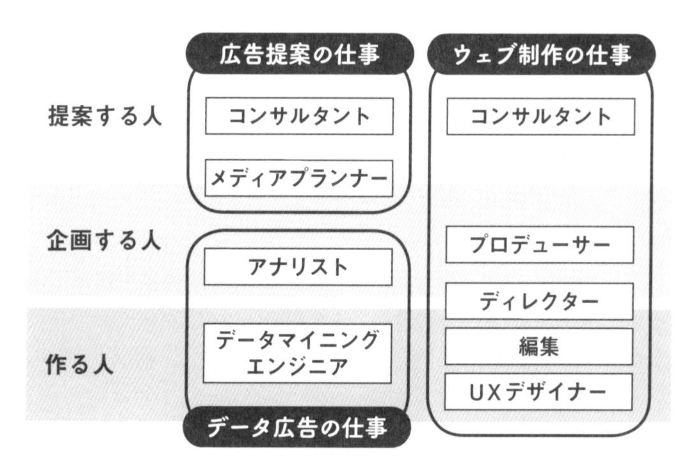

・いろいろな職種の人がチームを組んで仕事をする。

顧客、営業とプロジェクトチームの関係

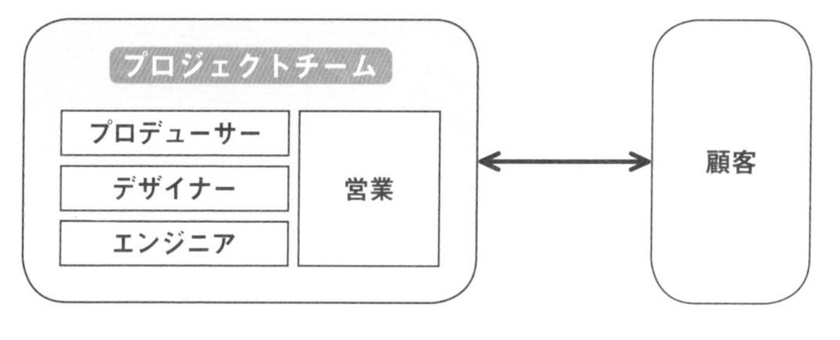

・営業と顧客がコミュニケーションを取り、企画が決定したら、予算、人材を確保する。
・社内で企画を統括（スケジュール、デザイン）するのがプロデューサーの役割。
・エンジニアは、企画の実装（実際にインターネットで見えるようにする）を担当する。

チームでする仕事の例
インターネット広告の仕事

この節では、チームで仕事をするときの実際の流れを広告の仕事で説明しましょう。

右頁の上図は広告の仕事をインターネットメディア企業の視点で描いたものです。インターネットメディアの営業は、大手企業以外は直接広告を出したい広告クライアントに営業することはありません。**普通は、自社のメディアを販売してくれる広告会社と付き合います。**広告会社にもメディア営業という職種があり、連絡をやりとりしています。それ以外に、インターネットメディア企業には広告の空き枠の調整や、効果測定を分析する職種の人たちがいます。

いっぽう右頁の下図は広告会社から見たインターネット広告の仕事です。彼らは広告クライアントと直接向き合っています。広告クライアント向け営業は広告キャンペーンの情報をいち早く取得し、広告企画を提案するのが仕事です。その企画をメディア担当の営業と相談しながら、出稿する広告メディアを決めていきます。

このように、メディア企業と広告会社は違う会社ですが、一つのチームのように活動します。また、どこの企業にも目標があるように、インターネットメディアを運営する企業にも自社の売上目標があります。その目標を達成するために、ある期間だけ特別に値下げしたり、広告会社の手数料を上乗せしたりする場合もあります。ほかにも、新しい広告商品の情報を広告会社に提案し、広告会社が売りやすい工夫を常にしています。インターネットメディアと広告会社は一蓮托生の関係といっていいでしょう。

メディア企業の営業の仕事

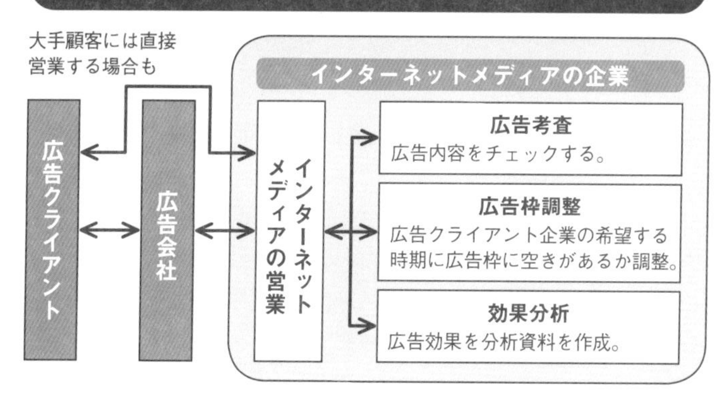

・広告会社に自社のインターネットメディアの広告商品を説明する。また、売上目標を達成し、広告会社のモチベーションをあげるためにキャンペーン（手数料を上積みするなど）を企画することもある。

広告会社の仕事

❶広告クライアントから広告キャンペーンの説明を受ける。
❷広告クライアントの目的に沿ったメディアプランを考える。空き枠の調整をメディア企業と行う。
❸広告クライアントから広告素材を入稿、インターネットメディアに提出。
❹結果報告書を提出。

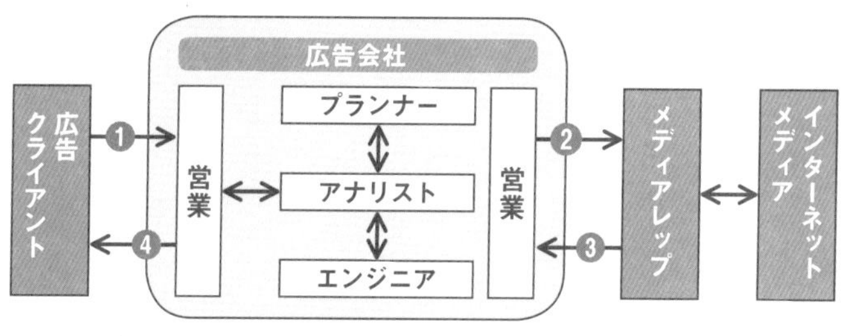

・インターネットメディアの広告枠を販売したり、調整する広告会社のことをメディアレップと呼ぶ。代表的な会社は「CCI」や「DAC」。レップとは「Representative（代理）」という意味。

チームでする仕事の例
データサイエンティストの仕事

ここでは、データサイエンティストの仕事について説明しましょう。データサイエンティストはインターネット広告のなかでも、第4章で説明したような、ユーザーの行動データに基づいて広告の発展にともない出現した職種です。通常の広告のようにメディアの広告枠に広告を出稿するわけではないので、メディアプランナーではなく、データサイエンティストが広告クライアントの商品情報を把握し、その商品に興味のありそうな人のデータ集めを手伝います。

たとえば、缶コーヒーの広告キャンペーンがあったとします。缶コーヒーを買うのはどういったシーンが考えられるでしょうか。朝出勤時、会社に着く前に自動販売機やコンビニで飲料を買う人は多いかもしれません。そうした行動を思い浮かべながら、どういった切り口でデータを集めれば、効率的な缶コーヒーの宣伝ができるかを考えます。東京の山手線内の駅を平日朝8時から9時までの間利用している人たちなど、**データを集める切り口を考えるのがデータサイエンティストの仕事です。**

そして、実際にユーザーの行動が蓄積されているデータベースからデータサイエンティストの切り口通りにデータを集めてくるのが、データマイニングエンジニアの役割です。さまざまな切り口のデータが集まったら、購入売上の目標に達するような企画を考えます。その企画を広告クライアントに伝えるのは、営業の役目です。ですから、データサイエンティストは、誰が説明しても理解できるような資料作成の能力も必要です。

広告の仕事一つとっても、さまざまな職種の人々が動いていますね。インターネットメディアと広告会社のように、外部の人同士が同じチームメイトのように仕事をすることもあります。仕事は一人ではできないことが実感できたと思います。

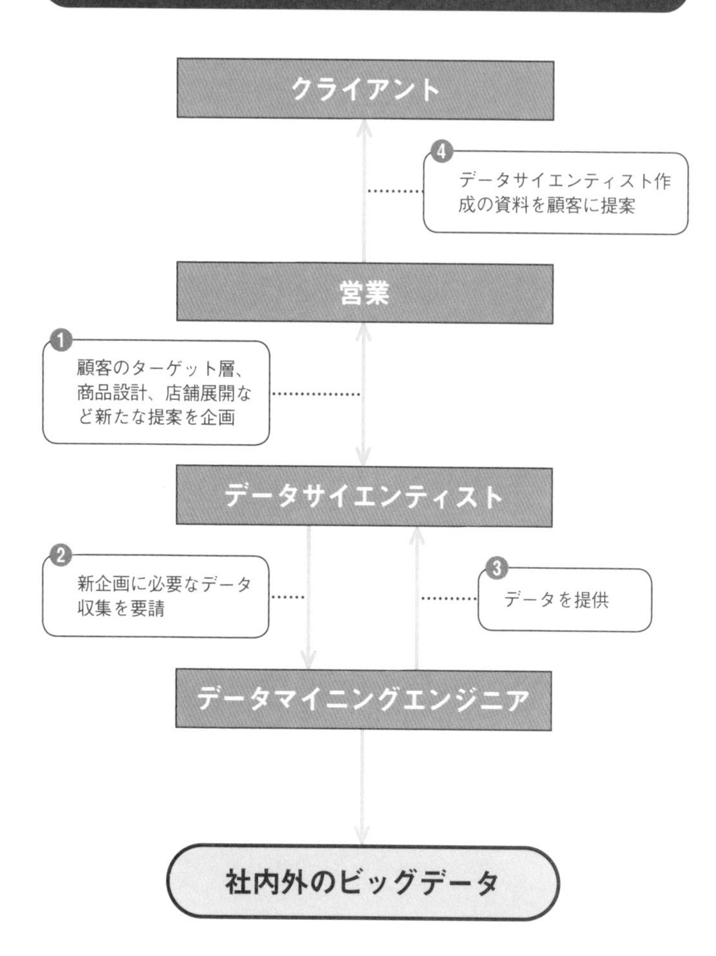

・データサイエンティストは、データ群AとBを合わせれば、新たな結果が得られるといった仮説のもと、データを集め、検証、顧客への企画提案を行う。

1. IT業界の仕事は「提案」「企画」「制作」の3つに分類される。

2. カタカナ職種は8つにまとめられる。

3. 専門性を磨くプロフェッショナルもチームで仕事をすることを覚えておこう！

COLUMN

英語力は友達同士で磨こう

これからの仕事をするうえで、英語はなくてはならないスキル。最新のビジネスやテクノロジーを知っておくためには英語のニュースを読まなければならないし、そうした会社との提携や買収にも英語でのコミュニケーション力が必要である。

最近は、スカイプで海外と交渉を進めていく。アメリカ西海岸にいる相手であれば、日本の8時から10時くらいまでが会議の時間になる(向こうはちょうど夕方4時くらいか)。新規ビジネス立ち上げや買収担当の部署に配属されると、毎朝海外との会議をこなすことになる。多いときは30分ごとに4社続けて交渉してるなんてこともある。

海外との電話会議は、音声がそれほどクリアでないこともあるし、アクセントもそれぞれ違うので、聞き取りが難しい。それでも、今日決めることはなにか？　次回までになにが課題なのか？　といったことを一つ一つ明確にしながら交渉を進めていく。

楽天は社内コミュニケーションが英語である。この取り組みはとてもいいと思う。英語が苦手な人にとって、いきなりネイティブと話すのはハードルが高いが、日本人同士であれば間違ってもいいくらいの気持ちで英語を話せる。だんだん慣れてきて話せるようになる。日本人だけでなく、アジアやヨーロッパなど英語を第2外国語としている人たちとコミュニケーションを多く取るのが、英語上達の早道

COLUMN

ベンチャー起業を考えながら働く

アメリカで知り合ったベンチャー企業が、何百億円で買収されるというニュースを聞くことがある。わずか3年前、小さなブースで積極的にサービスを売り込んでいたのに……。

ただ、誰もが成功するわけではない。同じように小さなブースでプレゼンしていた企業も知らないうちに消えていくこともある。その企業のツイッターアカウントも長い間放置されていたり。アメリカのデジタル業界は、そんなダイナミックさを感じさせてくれる。

こうしたベンチャー企業の日本市場進出を手伝うのは面白い仕事だ。
にしろ日本には存在しない仕事なのだから、ゼロから立ち上げる楽
さがある。これからは、本書でも紹介したIoTや人工知能などの分
面白そうである。
デアだけ借りて、自分でビジネスを立ち上げてもよい。ネット
ングやブログ、ソーシャルメディアなどアメリカで生まれた
もとに日本で起業しているサービスも多い。
本で創業して海外に進出するのも夢がある。日本ならで
やサービスなどをデジタルやIT技術と組み合わせれば、
場でも競争力があるだろう。
タル・IT業界の特徴は、自分で考えたビジネスアイ
やすい点だ。いったん就職するが、いずれ起業し
だと思う。

第9章

専門家の会社分析手法を盗もう

9-1 投資家情報を就職活動に利用しよう
9-2 決算説明会資料を活用しよう
9-3 会社の経営環境を知る
9-4 他社と比較してみる
9-5 志望する会社の未来を考える
9-6 上場していない会社の調べ方
9-7 ビジョンとミッション

投資家情報を活用しよう

投資家情報

IR（Investor Relations）情報ともいう。
3カ月ごとに発表される「決算短信」、「決算説明会資料」、「プレゼンテーション資料」などを活用しよう。

	A社		B社	
4-6月	第1四半期		第4四半期	6月が決算月
7-9月	第2四半期		第1四半期	7月から新年度
10-12月	第3四半期		第2四半期	
1-3月	第4四半期	3月が決算月	第3四半期	
4-6月	第1四半期	4月から新年度	第4四半期	

・会社は1年間の売上などを合計し、税金や株主への配当金を払う。それを決算と呼び、1年間の最後の月を決算月という。
・決算月は会社が自由に決められる。

決算説明会資料を活用しよう

会社の決算説明会資料の1ページ目には必ずその四半期の売上と営業利益が主要ビジネス部門ごとに記載されています。部門の記載順は、その会社がどのビジネスをメインと考えているかを示しています。つまり、そのページを見れば、会社がどんなビジネスをしていて、結果がどうだったのかがわかります。

ここではまず、**どの部門が一番稼いでいるのか？**　を頭にいれてみましょう。それには売上と利益の2つの数値を見ます。すると、売上の大きな部門、売上は小さいが利益の多い部門など、会社への貢献度がわかります。ショッピングの会社だと思っていたら、金融部門が一番利益を稼いでいたといった意外な点が見つかります。

次に、業績分析は過去と現在を比較することも大切です。説明会資料には、必ず前年の同じ時期と、同じ年の前の時期（7−9月の資料であれば、4−6月の数字）との比較が掲載されています。この比較で、ビジネスの成長性がわかります。さらに過去3年から5年の数値と比べるとトレンドがよりわかります。

ほかにも、説明会資料には他社との比較や、部門ごとの新商品・サービスが画像やグラフを使ってやわかりやすく説明してあります。まずは、いろいろな会社の説明会資料を覗いてみましょう。

そして、売上や利益など会社業績のポイントがわかったら、自分が会社に入ってどの部門で働きたいのか？　イメージしてみましょう。「少ない売上の部門を大きくしたいのか？」「そのための策はなにがあるのか？」「主要な部門で大きなビジネスをしたいのか？」**会社に入ってからも同じことを問われます。**その会社の現状と見通しをもとに自分の関わり方を述べれば、志望動機にも説得力が増すでしょう。

有価証券報告書を使って どんなビジネスをしているか調べる

ABC広告社「決算説明会資料」事業の概要

	売上	営業利益
広告事業	2000億円（前年同期比10%増 前期比5%増）	100億円（前年同期比30%増 前期比10%増）
コンテンツ事業	800億円（前年同期比20%増 前期比10%増）	150億円（前年同期比25%増 前期比5%増）
不動産事業	400億円（前年同期比10%増 前期比5%増）	150億円（前年同期比10%増 前期比5%増）

・ABC広告社にとって、広告事業がメインビジネスだが、コンテンツ制作事業のほうが成長率も利益率も高い。

会社の経営環境を知る

志望する会社がどんな方向に向かっているのか？　なにをするために設立されたのか？　を調べましょう。なんのために設立されたのかは、「ミッション」や「経営方針」といったページに書かれています。

さきほど述べた「説明会資料」に出ている数値は全て「有価証券報告書」に掲載されています。ただ、この有価証券報告書はページ数も多く、字数が多く白黒なので最初はとっつきにくいかもしれません。ただ、どの会社も同じ構成なので、一度どこになにが書いてあるのかを覚えれば、ほかの会社に応用がきいて便利です。

「有価証券報告書」は年度末（第4四半期のもの）を使いましょう。そうすれば、1年間の数値や経営環境が詳しく説明されています。有価証券報告書の最初のパートには「会社の概要」が説明されています。なかでも、「企業集団の系統図」「従業員数」「事業の状況」などが就職活動に役立つ項目です。こうした項目は目次に出ていますので、それを引けば辿り着けます。

「企業集団の系統図」はグループ会社全体の取引関係、つまりビジネスモデルを図示しているものです。これを見れば、説明会資料で把握した部門が、それぞれどのような関係にあるかわかります。また、従業員数や平均年齢などは、「従業員数」という項目に書いてあります。

取締役の報酬額や従業員の給与も書いてあります。記載されている総額を従業員数や取締役の人数で割れば1人当たり平均年収がわかります。

そして「事業の状況」には、その会社を取り巻くビジネス環境と会社への影響が詳しく書かれています。この項目はその会社だけでなく、業界全体の知識を得るために、とても役立ちますから必ず読みましょう。会社の課題なども書いてある場合がありますから、その課題と解決策を自分なりに志望動機に書くといいかもしれません。

有価証券報告書を使って会社の状況を調べる

会社の概要	どんなビジネスをしているのか？ どのような経営状況なのか説明しています。
企業集団の系統図	関連会社の取引が図示されています。
従業員数	社員が何人いるのか？　平均年齢は？ 平均給与、勤続年数。
事業の状況	ビジネスを取り巻く環境。

・各項目は目次で検索できます。

他社と比較してみる

会社の**業績分析は過去に遡る時系列と同時に、他社との比較も大事です。**比較したい会社は第7章で説明した通り同じレイヤから選ぶといいでしょう。**比較するためには、同じ物差しが必要です。**そこで、説明会資料や有価証券報告書から得られた売上や利益などを比較してみましょう。

決算期（第4四半期、たいていは1–3月期のもの）の有価証券報告書には必ず1年間の売上や利益が記されています。また、その会社の過去5年分の業績も表として掲載されています。比較したい会社の有価証券報告書から売上・営業利益の数値をメモします。もし表計算ソフト、ExcelやiPhoneのNumbers、それにGoogleのSpread Sheetなどを使える人は利用すると便利です。

まず売上の表を作ります。行に会社名、列には年度を入れましょう。そして、有価証券報告書から拾ってきた年間売上（四半期の売上数値ではない）を5年分入力します。次に、今年の数値を5年前の数値で割ります。すると、その企業の成長率がわかりますね。同じ表を営業利益の数値でも作ってみましょう。

表ができたら、売上と営業利益の大きさを比較し、図のようにマッピングしてみます。一番成長しているのはどの会社なのか、低いのはどこかわかります。それがわかったら、なぜその会社が成長しているのか、知りたくなりますね。

それを知るために部門ごとの数値を表にまとめましょう。年度末の有価証券報告書には必ず前年との比較が掲載されているので、5年分の数値は今年と一昨年、そして5年前の3つ見れば把握できます。

部門ごとの表を作ると、成長している部門がわかります。前節で述べた各部門の規模と合わせれば、大きくて成長している、大きいけど成長していないといった状態がわかります。

5年分の売上を比較する

	2016年	2017年	2018年	2019年	2020年	
ＡＢＣ社	70	80	90	100	120	A
いろは社	100	120	125	120	110	
１２３社	10	20	50	80	120	

120÷70＝170% → 5年間の成長

他社や他部門と比較してみよう

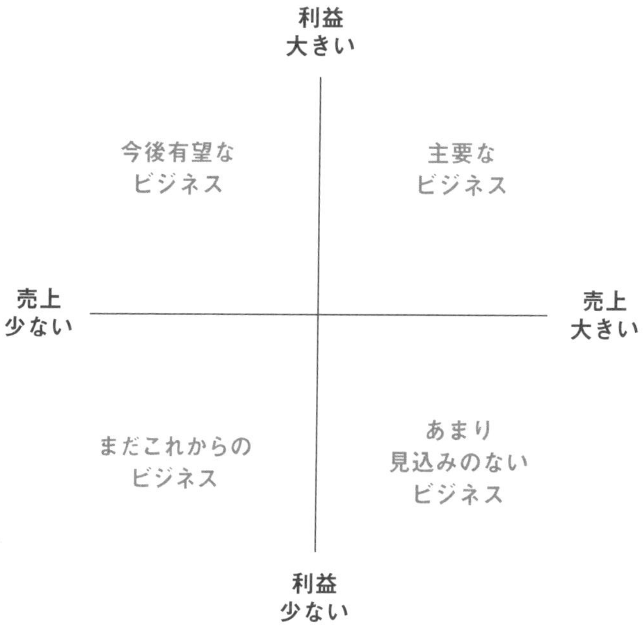

志望する会社の未来を考える

会社の現状や過去業績を把握したら、次は有価証券報告書の「ビジネスのリスク」を見てみます。そこには、会社が事業を行ううえで、なにか障害になること、事業撤退につながるかもしれない事項が考え得る限り書いてあります。リスクとはビジネス遂行における障害と考えていいでしょう。

会社の業績やリスクを頭にいれながら、経営方針やミッションを改めて読んでみます。すると、今現在立っている場所から見て、「未来に向けてなにが必要なのか？」「いつまでに必要なのか？」がだんだんわかってくると思います。「今伸びていない部門をテコいれするのか？」「主要な部門をさらに伸ばすのか？」それは他社との比較でどちらが効果あるのかわかりますね。競争相手と差が広がっていたら、テコいれする動機も強くならないでしょう。その場合は、主要な部門を伸ばすのが一番妥当な戦略ですね。

そんな風に考えていくと、自ずとその会社の方向性や課題が見えてきます。**そうした未来志向の課題解決こそが、これから就職するあなたが会社から期待されていることです。**今までの業績や現状の課題は、今の経営陣や社員の人たちが働いてきた結果ですね。人間は変化を嫌う生き物ですから、その人たちの未来は過去の業績や仕事の仕方の延長線上にしかないかもしれません。

しかし、IT業界は業界外や海外から新しい競争相手やサービスが突然やってきます。そんな新しいステージで活躍する人材を欲しているのです。志望する会社が5年後も同じビジネスをやっているかは誰もわかりません。ですから、会社を選ぶにあたって今メインのビジネスをやりたいと面接のときに言っても、そのビジネスがいつまで続くと思うのか？　と逆に質問されるかもしれません。そのときになんと答えるのか？　あらかじめ、有価証券報告書や説明会資料で市場のリスクや事業の状況を読んでおけば、説得力のある回答ができそうですね。

会社の未来を考えてみよう

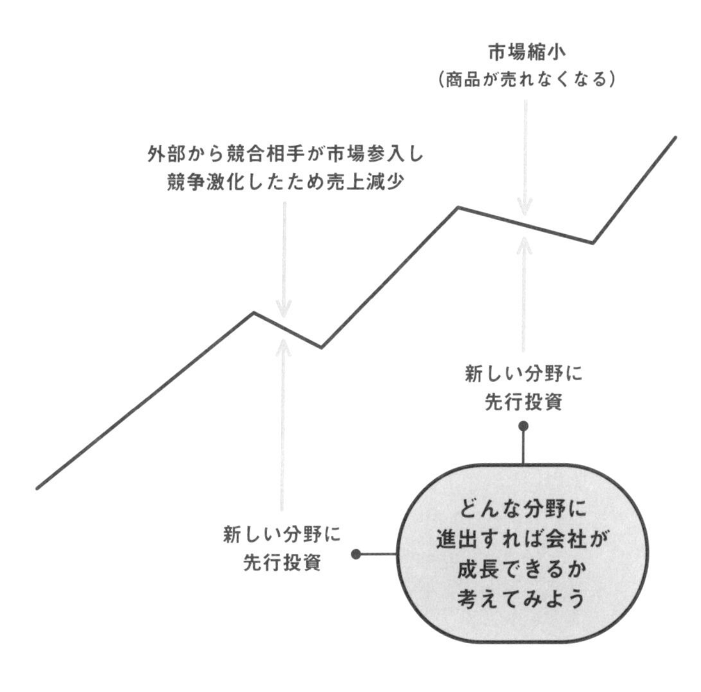

・会社の成長を一直線で表すことはできません。いろいろな経営環境の変化を克服して、その会社の未来があります。

上場していない会社の調べ方

ここまで述べた会社の調べ方は上場していることが前提でした。それ以外の会社を調べるにはどうしたらいいのでしょうか？　ここでは、会社のホームページの見方を説明しましょう。

新しい会社の場合、たいてい社長メッセージと会社のミッションが掲載されています。社長が起業したきっかけや、将来のことなどが書かれていれば、その会社の方向性がわかりますし、ミッションを読めばなにをする会社なのかがわかります。自分のやりたいことを考えながら読んでみましょう。また、小さな会社の場合、社長の人柄が社風に影響しますから、会社の雰囲気もなんとなく摑めるでしょう。ほかに、会社沿革という設立してからの歴史が載っていることもあります。会社の設立時期と場所を把握して、その時期になにが流行っていて、どんなことがあったか？　また自分はなにをしていたのか？　といったことを考えると、その会社でなにをしたいのか少し明確になりそうです。

また取引先の会社名が載っていれば、どういった業界に属しているのかがわかりますね。違う会社と比べるときに、取引先の会社数や種類で比べても面白いでしょう。それに、志望する会社と取引先の会社で検索すれば、なにか出てくるかもしれません。もし、検索でなにか出てきたら、なにを開発し、**取引先とどういう関係なのかが（技術を期待されているのか？　販売の連携なのか？　など）わかりますね。**さらに、同じようなサービスを検索すれば、その会社のライバルなどもわかります。

このように、上場していない会社でもホームページをきっかけに、いろいろな情報を集めることができます。実際にエントリーシートを書いたり、面接を受けたりする前に、十分下調べしましょう。

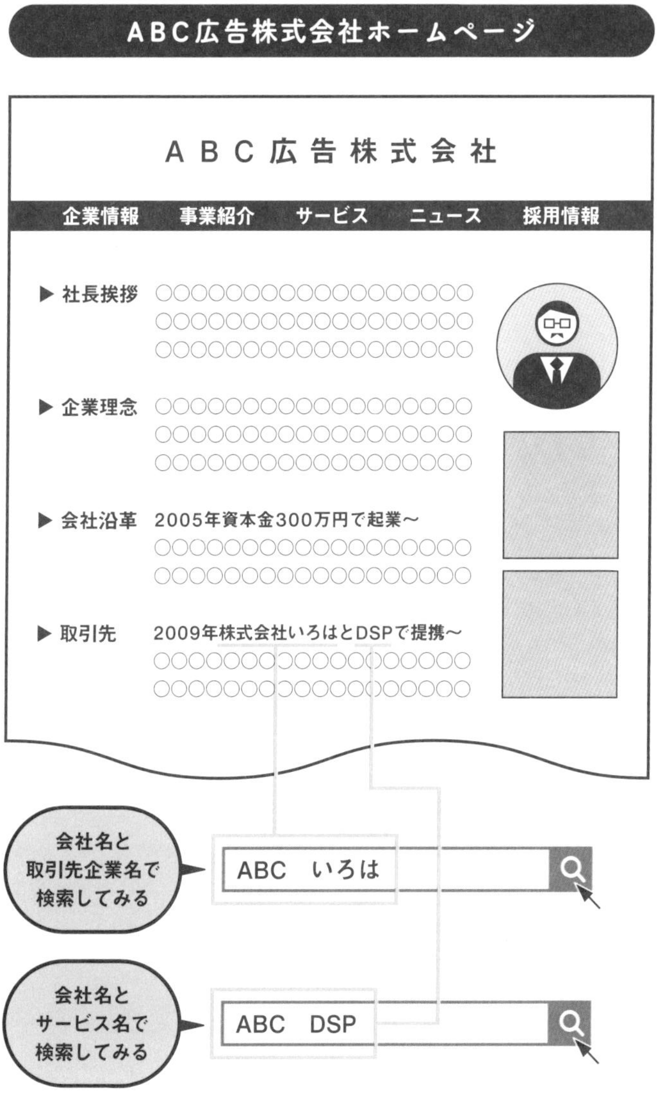

ABC広告株式会社ホームページ

ABC広告株式会社

企業情報　事業紹介　サービス　ニュース　採用情報

▶ 社長挨拶 ○○○○○○○○○○○○○○○○○○
○○○○○○○○○○○○○○○○○○
○○○○○○○○○○○○○○○○○○

▶ 企業理念 ○○○○○○○○○○○○○○○○○○
○○○○○○○○○○○○○○○○○○
○○○○○○○○○○○○○○○○○○

▶ 会社沿革 2005年資本金300万円で起業～
○○○○○○○○○○○○○○○○○○
○○○○○○○○○○○○○○○○○○

▶ 取引先 2009年株式会社いろはとDSPで提携～
○○○○○○○○○○○○○○○○○○
○○○○○○○○○○○○○○○○○○

会社名と取引先企業名で検索してみる

ABC　いろは

会社名とサービス名で検索してみる

ABC　DSP

ビジョンとミッション

多くのIT企業のウェブページには、その企業の「ビジョン」と「ミッション」が掲載されています。「企業理念」と訳してもいいでしょう。ビジョンは「見る」という言葉が語源で、「未来のことを見る＝目標」といった意味です。先見の明という意味のビジョナリー（Visionary）という派生語を聞いたことがあるかもしれません。

ミッションの語源は「送る」です。ここでは「目標に向かって行動する」といった意味ですね。軍事計画やどこかへの派遣団のことをミッションと呼びます。なにかの指令に従い、行動する＝任務という意味です。映画「ミッション・インポッシブル」は「不可能な任務」ですね。

ビジョンとミッションの関係は、まず「ビジョン」があり、その達成に向け「ミッション」＝どのように行動するか？　があるといえるでしょう。つまり、ビジョン＝目標、ミッション＝行動指針と考えればよいのです。

ビジョンとミッションを比べると、企業の方向性やなぜそのサービスを提供しているのかといったことがわかります。グーグルのビジョンには「情報＝information」という言葉が、アマゾンのビジョンには「顧客第一」という言葉が出てきます。それぞれの企業のサービスや商品が、どのようなアングルで開発されているかが明確です。

グーグルもアマゾンも動画サービスをしていますが、「動画サービス」を情報として、それとも顧客が求めるか？　でサービス設計が変わってきます。

ビジョンやミッションを比べると、企業の方向性がわかるので、会社を選ぶときの参考にするといいでしょう。

	ビジョン 目標	ミッション 行動指針
グーグル	Provide an important service to the world-instantly delivering relevant information on virtually any topic.	To organize the world's information and make it universally accessible and useful.
アップル	We believe that we are on the face of the earth to make great products and that's not changing.	To bringing the best user experience to its customers through its innovative hardware, software, and services.
アマゾン	to be Earth' s most customer-centric company, where customers can find and discover anything they might want to buy online.	We strive to offer our customers the lowest possible prices, the best available selection, and the utmost convenience.
ヤフー	世界で一番、便利な国へ。	UPDATE JAPAN　情報技術のチカラで、日本をもっと便利に。
楽天	「グローバル イノベーション カンパニー」であり続ける	イノベーションを通じて、人々と社会をエンパワーメントする
サイバーエージェント	21世紀を代表する会社を創る	インターネットという成長産業から軸足はぶらさない。 ただし連動する分野にはどんどん参入していく。 オールウェイズFRESH! 能力の高さより一緒に働きたい人を集める。 採用には全力をつくす。 若手の台頭を喜ぶ組織で、年功序列は禁止。 スケールデメリットは徹底排除。 迷ったら率直に言う。 有能な社員が長期にわたって働き続けられる環境を実現。 法令順守を徹底したモラルの高い会社に。 ライブドア事件を忘れるな。 挑戦した敗者にはセカンドチャンスを。 クリエイティブで勝負する。 「チーム・サイバーエージェント」の意識を忘れない。 世界に通用するインターネットサービスを開発し、グローバル企業になる。

1 会社が公開している投資家情報には志望動機を考えるうえで、役立つ情報がたくさん掲載されている。

2 投資家情報に掲載されている業績データを時系列でまとめてみよう。そのデータを他社と比較することで、その企業の強みや弱みがわかる。

3 公開されている情報をもとに、志望動機に客観的な視点を取り込み、自分がしたいことを明確にしよう。

おわりに

みなさん。どうでしたか？
少しはデジタルやIT業界のイメージがわきましたか？

デジタルやITと聞くと、難しそうなイメージがあると思います。就職先に選びたいけれど、自分にはムリと思っている方もたくさんいらっしゃると思います。

実際、英語をそのままカタカナにしたビジネス用語にとまどったり、世界中で起こる新しい動きに常にせわしない気がすることもあります。

しかし、この本で見てきた通り、デジタルやITの世界にも営業や企画といった普通の会社と同じ仕事はたくさんあります。つまり、チョット見では最先端に見える業界ですが、少し紐解くと今ある仕事や職種の組み合わせで成り立っています。ITの知識がなくても、そんなに怯える必要はありません。必要なことは、会社に入ってから学べばいいのです。

IT業界は動きが早いといわれます。就職した会社が5年後、10年後も同じビジネスをしているとは限りません。ただ、そんな動きも丁寧に会社が発表する資料を追っていると予想がつきます。この本の読者のみなさんには、ぜひそういった予測する力を身につけてほしいと思います。

デジタル、IT業界に関心ある人にとって、この本が参考になれば幸いです。

それでは、またどこかでお会いしましょう！

マスナビBOOKS

クリ活2 クリエイターの就活本
アートディレクション・デザイン編

本書はクリエイターを目指す就活生・転職希望者のための就活本として
好評となった『クリ活 広告クリエイターの就活本』の第２弾。
今回は「アートディレクション・デザイン編」「デジタルクリエイティブ編」
「プランニング・コピーライティング編」の３巻同時展開となります
「アートディレクション・デザイン編」では佐藤可士和さんや田川欣哉さんなどが登場。

井本善之 著　マスメディアン マスナビ編集部 編
本体：2,000円+税　ISBN 978-4-88335-505-1

クリ活2 クリエイターの就活本
デジタルクリエイティブ編

「デジタルクリエイティブ編」はAI・ロボット・宇宙・メディアアートなど
テクノロジーを、クリエイティブに活かしたい学生に向けた内容に特化。
世界で活躍しているレイ・イナモトさんやライゾマティクス真鍋大度さん、
BASSDRUM 清水幹太さんなどインタビューのほか、現在活躍中の若手クリエイターの
就活秘話など、就活に役立つ貴重な情報が満載です。

大瀧篤 著　マスメディアン マスナビ編集部 編
本体：2,000円+税　ISBN 978-4-88335-504-4

クリ活2 クリエイターの就活本
プランニング・コピーライティング編

連の佐々木宏さんや電通の東畑幸多さん、GO 三浦崇宏さん、CHOCOLATE 栗林和明さん、
アルカ辻愛沙子さんなどの人気クリエイターのインタビューを多数掲載。
コピーライティングやテレビ CM のプランニングに縛られず、
広告・コミュニケーション領域を拡張していくフロントランナーたち。
そんな彼らの学生時代に迫った、クリエイターを目指す企画系学生必携の１冊。

尾上永晃 著　マスメディアン マスナビ編集部 編
本体：2,000円+税　ISBN 978-4-88335-503-7

広告界就職ガイド2022

ビジネスモデルから職種研究、最先端の動きまで、広告の仕事を１冊で網羅。
人事が語る「求める人材像」も収録。
全国の広告関連会社の強みと特徴・採用データを豊富に掲載。
宣伝会議で人気の就活塾「広告界就職講座」のエッセンスが多数収録！
講座受講と併読もおすすめです。

宣伝会議 書籍編集部 編
本体：1,700円+税　ISBN 978-4-88335-507-5

massnaviでは
入学したての
大学1年生から
就活目前の学生まで、
大学生全学年の
キャリアのきっかけを
サポートしています。
未来をもっと面白くする
仕事に就くための
就活のステップを
ご紹介します。

STEP 1

自分のキャリアを考えてみる

将来を考える上で、まずは、"自分について知ってみる"ことを。好きなこと、嫌いなこと。得意なこと、不得意なこと。これまで学校でどんなことをしてきたか、これまで歩いてきた道のり。自分を振り返り、適性を知ると、自然とキャリアビジョンが湧いてきます。

STEP 2

先輩のキャリアに触れてみる

業界の最前線で活躍する若手から大ベテランの先輩まで、さまざまな人のキャリアに触れることで、より具体的に進むべき方向性が見出だせます。massnaviでは、内定したての身近な先輩も含め、業界を牽引する大先輩まで、いろいろなキャリアを知るイベントやインタビューコンテンツを展開しています。

STEP 3

業界・職種について詳しく知る

まずは業界の理解と職種を知ることが大切です。「仕事の流れ」「お金の流れ」「なりたち」など基本から業界を理解すること、職種ごとに求められる能力を理解し"自分に合う仕事とはなにか"を発見することが、理想のキャリアに近づく一歩となります。

STEP 4

実際に体験してみる

インターネットや人伝えの情報に振り回されないために、実際に体験することは大事です。自ら頭や手を動かし学びを得られるワークショップや、企業によるインターン体験など、massnaviの取り組みから今なにを準備すべきかが見えてくるかも。アイデアの見つけ方やスキルの磨き方など、頭に汗かくクリエイティブな体験は、仕事への憧れや理解を深めます。

STEP 5

企業について知る

"なぜ、その企業で働きたいのか、働く上でなにを重視するのか"よく考えてみましょう。イベントや説明会に参加して、直接仕入れる情報は、新鮮かつ貴重です。インターネットの情報に加えて、できる限り自分の五感を駆使し生きた情報を得ることが、企業を理解する上で価値のある情報となりえます。

STEP 6

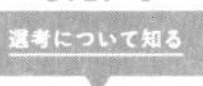

選考を受ける上でも準備が大切です。模擬面接やワークショップ体験、業界特有のクリエイティブテストや筆記試験など、すべてのプロセスに対策を講じましょう。

STEP 7

筆記試験ではSPI、語学力テスト、作文(小論文)などが主流ですが、一方で、グループワーク、グループディスカッション、グループ面接など、多数の中の立ち回りから、その方の人柄を見ることもあるようです。志望する企業がどんな選考方法をとっているのか、情報を十分に集め準備して、広告会社のプレゼンと同様に、戦略的に内定を勝ち取りましょう。

年間100回以上の業界研究セミナー・イベントを実施

有名クリエイター・経営者・大手広告会社の採用担当・若手社員・内定者など業界人の話を聞けるセミナーを多数開催。オンラインライブ、オンデマンド配信も多数行っています。

適職診断・職種解説など、広告業界の仕事を詳しく知ることができるコンテンツを公開中

自分に合った仕事を見つけるためのコンテンツも数多くご用意しています。

大手広告会社・テレビ局の内定者へのインタビュー記事を会員限定で公開

内定者への最新インタビュー記事を会員限定で公開。選考突破に直結する「就活のコツ」を多数ご紹介しています。

ほかにはない、マスナビ限定の求人も多数掲載

広告会社の求人だけではなく、誰もが知る大手メーカーのマーケティング職や、著名なクリエイティブエージェンシーのコピーライター職など、ほかの就活サイトにはない、マスナビ限定の採用情報が盛りだくさん。

JAAA(日本広告業協会)やJDLA(日本ディープラーニング協会)など業界を牽引する主要団体との講座もマスナビだけ!

本格的な就活前に、キャリアを考えるきっかけになったり、スキルを身につけたりするための講座も開催。アーカイブ配信中です。

改訂版
就活 転職の役に立つ
デジタル・IT業界がよくわかる本

発行日　2020年3月20日 初版 第一刷
　　　　2021年3月20日 初版 第二刷

著者　志村 一隆

編集　株式会社マスメディアン マスナビ編集部

発行者　東 彦弥
発行所　株式会社宣伝会議
〒107-8550　東京都港区南青山3-11-13
tel.03-3475-3010（代表）
http://www.sendenkaigi.com/

印刷・製本　株式会社　暁印刷

ブックデザイン　若井夏澄（tri）

ISBN 978-4-88335-491-7　C0036